一生必读的
中国十大名著

水浒传

〔明〕施耐庵 著
创世卓越 改编

青少年版

纪江红 主编

北京出版集团公司
北京十月文艺出版社

与文学大师的对话

世界儿童基金会 林垂富

在青少年的成长过程中，文学名著起着一个"随风潜入夜，润物细无声"的重要作用。每读一本文学名著，就是与文学大师在心灵上的一次对话。这一次又一次的对话会使一个人对人生和世界获得更丰富而全面的认识，人格更加趋于完美。这是难以为其他形式所取代的。

"一生必读的经典：中国十大名著"的编者们为我们的青少年精心挑选了十部在中国，乃至世界上都影响巨大的古典文学名著。罗贯中通过《三国演义》带我们回到那个群雄纷争、英杰辈出的战乱年代，去结识足智多谋的诸葛亮、忠肝义胆的关云长、狡诈多疑的曹操等典型人物；施耐庵在《水浒传》中塑造了一批啸聚山林、打家劫舍的绿林好汉，描写了他们各自不同、栩栩如生的鲜明性格；《西游记》则是一部伟大的神话，作者吴承恩凭借天才的想象力将神仙、妖怪和普通人的故事讲得跌宕起伏、惊心动魄；曹雪芹的《红楼梦》呈现出一批可爱又可怜的青年男女，他们缠绵悱恻的感情故事感动了所有读者，成为千古绝唱；还有《聊斋志异》、《岳飞传》、《封神演义》……部部都是我们中华民族传统文化的结晶，也是中国文学史上的耀眼明珠。

读完这些作品之后，我们会觉得这些大师们站在人类思想的巅峰，在为我们撒播智慧与心灵的种子。阅读他们的每一本著作，都是在与巨人们当面对话……

一把打开文学宝库的钥匙

中国儿童教育研究所 陈勉

　　一本书能够成为经典名著，一定是包含了高超的艺术造诣和透彻的人生道理。青少年朋友们正处在一个认识世界、了解人生的关键阶段，这些历经时间考验的经典文学名著正好充当了导师和朋友的角色。

　　由于青少年受到知识、阅历以及阅读欣赏经验的限制，他们往往会与文学名著产生不同程度的隔阂，造成阅读的困难。"一生必读的经典：中国十大名著"系列的编者们从汗牛充栋的中国古典文学殿堂中精心挑选了十部适合青少年阅读的经典文学名著。这些家喻户晓的超级名著不仅深入人心，脍炙人口，在中国文学史上也占有显赫的地位。为了使它们适合青少年朋友阅读，编者们舍弃了原著晦涩的文言文，在忠实于原著的基础上进行了改编，既保留了原著中精彩的故事情节和灿烂的文采，又回避了原著中一些封建迷信描写。令人欣喜的是，所有作品均配有精美的彩色插图。这些插图形象地阐释了作品的内涵，有助于读者更好地理解原著的意义。

　　此外，这套书的特色还在于为这些文学名著配上了相关的文史、科普知识，让青少年读者在阅读名著的同时能了解相关的基础知识，再通过这些知识更好地理解作品。正是这些元素，使读者能更真切地感受我国各个朝代历史、文化的独特和精彩。

　　伟大的经典名著带给人的影响是能伴随人的一生的。这套书通过轻松、新颖的阅读方式，给了广大青少年们一把打开文学宝库的钥匙。这把钥匙将给他们打开一个广阔而美丽的世界！

古典文学名著的无穷魅力

《水浒传》是中国历史上第一部用白话文写成的章回体小说，也是我国最优秀的古典文学名著之一，它所描绘的水浒故事早已是家喻户晓，深入人心。

《水浒传》通过描写各个英雄被逼上梁山的不同经历，成功塑造了一批聚集江湖、行侠仗义的绿林好汉的独特形象。一百零八位英雄好汉，性格个个迥然不同。李逵的粗心莽撞、鲁达的粗中有细、武松的勇猛利落、林冲的忍让、宋江的谦恭，皆刻画得惟妙惟肖，栩栩如生，观之可亲。《水浒传》又是一幅长长的历史画卷，它展示了宋代的政治文化与社会景观，将当时各个阶层人们的生活面貌囊括其中。

为了让广大青少年更好地欣赏这部名著，我们根据原著进行改编，选取重点精彩情节，系统详尽地再现了这部文学名著。本书语言生动质朴，画面精美传神，故事引人入胜，既保留了原著的风采神韵，又在此基础上去其糟粕，浓缩了全书的精彩与精华。另外，本书还有一大特点是配备了许多与内容相关的小资料，并且图文并茂，或介绍文中出现的事物名词，或介绍当时的文化背景，可帮助青少年更好地理解故事内容，增长文史知识。书中还将一些难懂的名词和早期白话方言加以注释，做到通俗易懂。

希望这本《水浒传》（青少版）能打开古典文学的宝库，让广大青少年朋友更好地领略到我国古典文学名著的艺术魅力。

水浒传

一生必读的经典 中国十大名著

目录

龙亭

　　开封府龙亭是北宋著名的皇家林苑，有两个湖泊各居左右，西为杨家湖，东为潘家湖，与龙亭相映成趣。图为近人重筑之建筑。

毬：即古代的蹴鞠，以毛纠结而成，以毛填充。后来用皮革缝制而成，内充气，与现在的足球相似。踢毬是唐宋时非常流行的游戏。后来，"毬"也泛指古代各种游戏用球。

高俅很会踢毬，深受端王喜爱。

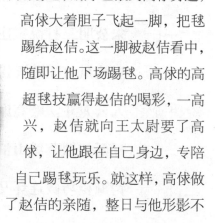

第一章
王教头私走延安府

　　话说北宋哲宗年间，东京开封府汴梁城内，有一个浮浪破落户子弟，名唤高二，是京城里有名的无赖。此人自小不务正业，专好弄枪使棒，最是能踢一脚好毬，京城人口顺，不叫他高二，却都叫他高毬。后来发迹，他便将"毬"改为"俅"，名为高俅了。高俅吹拉弹唱、相扑玩耍无一不通，也会胡乱作些诗词歌赋，但若论仁义礼智、信行忠良，却是一概不知。

　　这高俅凭着一身无赖本事，专在酒楼瓦肆等热闹场所瞎混，帮一些富家子弟花钱，人多厌烦他。后来他得罪了一位王员外，被赶出了汴梁城。但也该他走运，出了京城后，一来二去，阴差阳错，他又回到京城，并通过各位主家介绍，辗转做了王太尉府中的家丁。这王太尉是哲宗皇帝的妹夫，神宗皇帝的驸马，与哲宗的弟弟端王赵佶交往深厚。赵佶十分酷爱踢毬，一次，高俅受王太尉之命，到宫中给赵佶送礼物，恰碰到赵佶在跟手下人踢毬，刚好毬滚到高俅身边，高俅大着胆子飞起一脚，把毬踢给赵佶。这一脚被赵佶看中，随即让他下场踢毬。高俅的高超毬技赢得赵佶的喝彩，一高兴，赵佶就向王太尉要了高俅，让他跟在自己身边，专陪自己踢毬玩乐。就这样，高俅做了赵佶的亲随，整日与他形影不

高俅挟私报复，大骂王进。

离，深受宠爱。后来，哲宗皇帝驾崩，因哲宗无子，端王赵佶被扶上帝位，这就是历史上有名的风流皇帝宋徽宗。赵佶做了皇帝，高俅也一步登天，仅半年时间，他便做到殿帅府太尉一职。

新官上任，高俅好不威风，所有下属的公吏衙将、都军监军人等都前来参拜道贺。高俅拿花名册一一点过，其中唯独少了一位八十万禁军教头王进。王进于半月前请过病假，因病未痊愈，至今还没有到衙门管事。高俅却大怒，说王进是故意装病，有意搪塞他，随即差人去捉拿王进。

王进拖着病体来到殿帅府，参见了高俅。高俅一见，问道："你可是都军教头王升的儿子？"王进回答一声"是"。高俅便开始大骂："你这厮，你爹不过是街头上使花棒卖药的，你晓得什么武艺？前任官没眼，参你做个教头，你如何敢小看我，不来参拜？你托谁的势，要装病在家，安闲快乐？"王进道："小人不敢，其

绾发玉冠

古代男子有用冠来绾发的习惯。这顶玉冠做工精巧，用料珍贵，是一件贵族的奢侈品。

王进和母亲逃离京城。

老种经略相公：种（chóng），姓。经略，军政合一的地方官员。相公，在这里是对男子的尊称。

宋朝武将

这是身穿袍式铠甲、手持大斧的武将形象。宋朝重文轻武，武将出征打仗，要按皇帝的命令来决定进退。因此宋军虽然为数众多，但常常是有勇无处奋发，有谋无处施展。

实是病未痊愈。"高俅又骂道："贼配军，你既然害病，现在又如何来得？"王进答道："太尉呼唤，不敢不来。"高俅大怒，喝令左右："拿下，给我用力打这厮！"周围众多牙将多与王进相熟要好，见状，都为他求情，高俅才道："你这贼配军，今日看众将之面，暂且饶你，明日再和你算账。"王进这才免了一番皮肉之苦。王进谢罪后，抬头一看，认得他是当年东京的混混高二，心中暗暗叫苦，知道自己这回性命难保了。原来以前高俅学使棒，曾被王进的父亲一棒打得三四个月下不了床。如今他做了太尉，怎会不寻机报复？且这高俅又是个品行无良的，更不会手下留情。

回到家后，王进思来想去，觉得唯有走为上策。王进没有妻子，家里只有一个六旬多的老母，他将情况告知母亲。母子二人抱头痛哭了一回，后商议去投奔延安府的老种经略相公。于是当夜，王进便和母亲收拾了行李，趁天没亮时逃出了汴梁城，向延安府奔去。

高俅得知王进逃走后，大为恼怒，随即发下文书，缉拿王进。此事暂且不提。

且说王进与母亲自离开东京，一路上风餐露宿，夜住晓行，走了一个多月。这一天，天色将晚，母子二人因感觉逃出了高俅的手心，走得高兴，错过了投宿的客店。正不知如何是好，前面林子里闪出一道灯光来，走近看时，却是一所大庄院。王进带母亲敲开庄门，请求借宿一晚。庄客领他们见了庄主太公，那太公年有六旬以上，须发皆白。彼此叙礼后，王进假称自己是行路的客商，太公也不细问，便吩咐庄客安排饭菜，打扫客房，留他们住下。

王进本打算第二天一早就走，没想到夜里母亲的心痛病犯了，不能再赶路。庄主太公见状，忙派人去抓药，为王进的母亲治病。王进感激不尽，陪母亲在太公庄上服药养病。五六天后，王母的病渐渐好了，王进到后院收拾马匹，准备赶路。路过一片空地时，他看到一个年轻后生正在那里舞棒，那后生光着上身，刺了一身青龙图案，一张银盘似的脸，约有十八九岁年纪。王进看了一会儿，忍不住说道："这棒使得也不错了，只是还有破绽，赢不了真好汉。"那后生听了大怒，喝道："你是什么人？敢来笑话我的本事？我是经了七八个有名的师父教过的，你敢和我比一比吗？"

话音未落，太公走了过来，喝住那后生："不得无礼！"后生道："这厮竟敢笑话我

六角形金杯

　　宋朝的阶级分化十分严重，农民常常食不果腹，上等人家却过着豪华奢侈的生活，连酒具也是金制或银制的。

王进路过后院，看到史进在那里舞棒。

棍

棍，也叫棒，是一种把坚硬木棒削圆而成的简单兵器。一般长棍有3米长，用双手使用。棍虽没有刀、剑那样的劈、砍功能，但因其长且重，也有相当大的威力。

的棒法。"太公道："莫非客人也会使枪棒？"王进道："略知一二。不知这位后生是宅上何人？"太公道："是老汉的儿子。"王进道："既然是令公子，若他爱学，我愿意点拨一二。"太公听了，忙叫那后生来拜师父。那后生哪里肯拜，发怒道："爹爹，休听这厮胡说。若他赢得我手中这条棒，我便拜他为师。"说完，立在当地，把一条棒使得风车似的转，非要和王进比试不可。王进起初怕伤了他，不肯动手。太公道："不要紧，若是打折了手脚，也是他自作自受。"王进无奈，只好从枪架上拿了一条棒在手里，立在空地。那后生略看了看，拿起棒就直冲过来。王进托棒而走，后生抢棒赶上。王进回转身，举棒从空中劈将下来，后生急忙用棒来架住。不想王进是虚晃一招，棒打到一半，又突然掣回去，却向后生怀里直搠过来，只一绞，后生便倒在地上，棒也丢到一边。王进连忙向前扶起后生道："休怪，休怪。"

那后生爬起来，便去旁边拿了条板凳，让王进坐下，

王进回转身，举棒从空中打下来。

自己跪下拜道："我枉自经了那么多师父指教，原来不值半分。请师父收我为徒。"王进道："我母子二人在宅上打扰多时，无以为报，应当效力。"

太公听了大喜，忙叫庄客安排酒饭，设宴招待王进母子。席上，太公道："师父如此高强，想必是个教头，小儿有眼不识泰山。"王进笑道："真人面前不说假话。我便是东京八十万禁军教头王进。"遂将自己受高俅逼迫，无奈投奔延安府的实情说了。太公听了，忙叫那后生再拜师父，那后生又拜了王进。太公道："老汉祖居这华阴县界，前面便是少华山。这村叫史家村，前后有三四百户人家，都姓史。我这儿子从小不务正业，只爱舞枪弄棒。他母亲说他不得，怄气死了，老汉也只得随他的性子，不知花了多少钱财，请师父教他武艺。又请高手匠人在他肩臂胸膛刺了这身花绣，总共有九条龙，县里人都叫他九纹龙史进。教头今日既然到此，还望成全了他。老汉自当重谢。"王进道："太公放心，既如此，我一定教会令郎再走。"从此，王进就在史家庄上教史进练功使棒。

光阴荏苒，转眼半年过去了，王进尽心指教，史进将十八般武艺学得精熟。王进见他学得差不多了，便向太公辞行。史进与太公苦留不住，只得安排酒席送行，并赠了银两、布帛等作为答谢。王进于次日收拾了马匹，与母亲辞别太公。史进又让庄客挑上担子，亲自送了十里多的路程，最后与师父洒泪而别。

史进与师父王进洒泪而别。

搠（shuò）：扎或刺，见于早期白话。

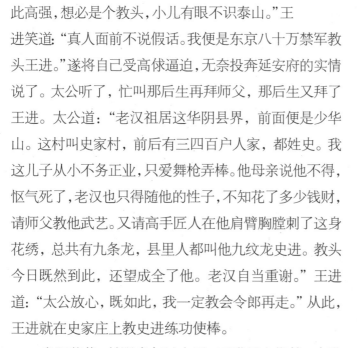

宋代银锭

白银作为称量货币，常铸成银锭形式。北宋时，宋王朝曾将大量白锭作为"岁币"送给大辽和西夏。

宋四齿铁耙

耙是用来平整土地或聚拢、散开柴草、谷物的农具，有长柄，一端装有铁齿。北宋的四齿铁耙是当时先进的铁农具，对农业生产有很大的促进作用。

史进在柳树下乘凉，忽见猎户李吉探头探脑地向庄里张望。

第二章
九纹龙大闹史家村

送走王进后，史进回到庄上，每日里仍是射弓走马，练习武艺。不到半年时间，史太公染病不起，不久病逝。料理完父亲的丧事后，史进更无人管，越发不理家业，只是找人较量枪棒。

又过了三四个月，时当六月中旬，正是炎热的夏季。一天，史进在打麦场边的柳树下乘凉，忽见猎户李吉探头探脑地在那里张望，史进喝道："李吉，你往我庄内张望什么？"李吉回道："大郎，小人来找庄上的矮丘乙郎喝碗酒，因见大郎在此乘凉，所以不敢过来冲撞。"史进又道："我问你，以前你还担些野味到我庄上卖，我又不曾亏待你，为何最近都不来了？难道是看我没钱？"李吉答道："小人不敢，只因最近少华山上来了一伙强人，扎下山寨，聚集了五七百个小喽啰，在那里占山为王，小人们不敢上山打捕野味，所以没的卖。据说，那为头的大王叫神机军师朱武，二大王叫跳涧虎陈达，三大王叫白花蛇杨春。他们整日里打家劫舍，华阴县里奈他不得，正出三千贯钱召人缉拿，谁还敢上去惹他？"

史进听了，回到厅前，心想：这些强盗如此大张旗鼓，必然要来打劫村庄，应该提早防备才好。于是，他让人杀了两头肥水牛，拿出庄内

杨春和朱武说史进不好惹，激怒了陈达。

的好酒，请村里的三四百史家庄户都到自己家里喝酒。然后，他倡导众人共保村庄，防备强盗。众人知道史进的武艺了得，都愿听他吩咐。于是，史进开始修整庄院，整顿刀马，提防贼寇。

且说少华山上的三个头领，也在商议生存大计。为首的朱武对陈达、杨春说："听说华阴县里出三千贯钱捉拿我们，他们若来，必定有一番厮杀。我们应提早囤积些粮草，以备不测。"跳涧虎陈达首先应道："说得是。如今我便去华阴县里，先向他借粮，看他能把我怎样？"杨春道："哥哥使不得，不能去华阴县。若要打华阴县，必须要经过史家村，那史家村的九纹龙史进是个厉害角色，不可去招惹他，否则他怎么会放过我们？"朱武也劝他不要去。那陈达是个急性子，最不服输，听两人如此说，立刻生起气来，大叫道："你两个闭了鸟嘴，长他人志气，灭自己威风。他不过也是个人，又没有三头六臂，我就不信打不过他。"说完，不顾朱、杨两人劝阻，随即披挂上马，点了一百多个喽啰，冲下

宋城墙防御模型

城墙是城池最主要的防卫建筑，也是城池最终的屏障，守住城墙才能守住城池。宋时，辽和西夏等少数民族经常进犯中原，宋王朝只得在边境加固城防，加强防御措施。这是宋时典型的城墙修筑造型。

史进与陈达一见面，言语不合，便打了起来。

大刀

大刀是古代的一种长兵器，以《三国志》中记载的关公大刀为始祖，发展为多种样式，有拨风刀、大斫刀、笔刀等。大刀的刀形笨重，刃部很宽，要求使用者有过人的臂力，舞起来勇猛剽悍，威力无比。

山去，攻打史家村去了。

此时，史进正在庄前整制刀马，听庄客报知此事，立刻披挂整齐，召集三四百庄户来到村北路口，准备迎敌。

那陈达也已带着人马飞奔到山坡下，摆开阵势。史、陈两人见面，三言两语不合，便打了起来。陈达拍马挺枪，来迎史进。史进催马举刀，来战陈达。两人斗了多时，不分胜负。史进卖个破绽，让陈达把枪往心窝里搠来，自己把腰一闪，轻舒猿臂，只一伸手，就把陈达从马上揪了过来，丢在马前绑了。众喽啰见头领被擒，都一窝蜂地跑回山寨。

朱武、杨春两个，正在寨中心神不宁，忽见小喽啰们来报说陈达被史进捉去了，更是慌乱不已，不知如何是好。两人商议良久，朱武想出一条苦肉计，随即与杨春下了山。

史进捉了陈达，正在庄上余忿未消，听说朱武等人来了，急忙召集庄客应战，打算再捉了他俩，一起送官。史进上了马，正要出庄门，却见朱武、杨春两个步行来到庄前，双双跪下，朱武哭道："我等三人，被官司所迫，不得已上山落草，当初发愿：'不求同日生，只愿同日死。'虽不及关羽、张飞和刘备的义气，但心意是相同的。今日小弟陈达冒犯虎威，被英雄捉住，我等无计可施，只求一死。望请英雄将我三人一并解官，我等死在英雄手中，绝无怨言。"

史进也是个讲义气的，听朱武如此说，大受感动，心想：他们这般义气，我若拿他们去请赏，岂不叫天下英雄好汉耻笑？正所谓：英雄惜英雄，好汉识好汉。史进当下道："既如此，我不如放了陈达，还给你们。"朱武道："这样连累英雄，不大妥当，宁可把我们解官请赏。"史进坚决不肯，并说道："你们敢吃我的酒食吗？"朱武道："一死尚且不惧，何况酒肉？"史进当下大喜，立刻让人放了陈达，请三人入席喝酒。朱武、陈达、杨春见史进真心放他们，立即跪下，拜谢大恩。三人在史家庄上吃了酒饭，才离庄而去。

宋三彩陶水榭

宋时，陶瓷业有了更大规模的发展，出现景德镇窑等各大名窑，制作的陶瓷器更加精美细致。图为三彩陶水榭。

自此之后，史进与这些人结为朋友，彼此来往频繁。朱武三人感念史进的救命之恩，经常送些银两财宝给史进，史进也敬佩三人义气，礼尚往来，常派人送些礼物给他们。史进庄上有个庄客名叫王四，是个十分口舌伶俐的，最能应对官府，满庄人都叫他赛伯当。史进很是信得过他，每与少华山来往，多由他送信跑腿。转眼到了八月中秋，史进派庄客王四到少华山送信，约朱武三人在十五月圆之夜到庄上饮酒赏月。

王四上得山来，朱武等收到史进书信，十分高兴，随即答应赴约，并写了回信让王四带上，还赏了王四银两。王四心里高兴，却和喽啰们贪杯喝多了酒，下山途中醉倒在路上，不巧被猎户李吉碰到。李吉见是史家庄上的王四，便走来扶他，不想

史进与朱武三人冰释前嫌，结为朋友。

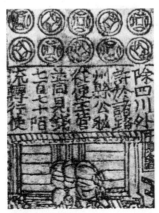

北宋交子

北宋时出现的交子是世界上最早的纸币。宋初,交子最早在四川地区流通使用。

王四醉得浓了,根本扶不动。拉扯之间,王四怀里的银子露出来,李吉一拉,又带出了朱武等人的那封回信。李吉拿信看了,心内暗想道:我做猎户多年,难得发迹,今日算我走运,撞了大财在这里。华阴县里正出三千贯钱,捉拿那三个贼人,不想史进那厮竟和贼人来往。于是,李吉取了书信和银两,往华阴县官府告发去了。

王四酒醒后,不见了回信,很是惊慌。他回到庄上,知道实话实说,史进不会饶他,所以只说朱武三人答应赴约,没有回信。史进也没有怀疑。

不觉中秋节到来,当晚,史进正和朱武三人在后园饮酒赏月,闲话家常。忽听墙外一声呐喊,人声嘈杂,火把乱明。史进大惊,喝叫庄客不要开门,自己登上梯子上墙一看,只见华阴县县尉骑在马上,带了两个都头,领了三四百士兵,围住了史家庄院。火光中,刀叉林立,人喊马嘶,直围了个水泄不通。两个都头高喊:"不要走了强贼!"史进见状,知道走漏了消息,唯有暗暗叫苦。他下得墙来,朱武三人向他跪下道:"哥哥是清白的人,不要被我等连累了。哥哥可拿绳子来,把我三人绑上,出去请赏。"史进闻言道:"这如何使得!若是那样,岂不让天下人耻笑!你等放心,且等我去问个来历缘由。"

史进又登上梯子,上得墙来,问道:"你两个都头,何故半夜三更来劫我庄上?"两都头答道:"大郎,你不要抵赖。现有

王四醉倒在树林里,李吉发现了朱武等人的回信。

史进同朱武、陈达、杨春三
人放火烧了庄院，打开庄门，杀
了出来。

原告李吉在这里，告你勾结强盗。"

　　史进又质问李吉，李吉随即应道："我本不知，只因林子里拾了王四的书信，方才到县里告了。"史进这才明白是王四撒谎坏了事。庄外这些都头人等，都惧怕史进武功了得，只在外面吵嚷，并不敢冲进庄来捉人。

　　史进下了墙，先把王四拉到后园杀了，随即喝叫众庄客收拾金银细软，打成包裹，并命点起三四十个火把。他先命人在后院点火，把官兵吸引过去，后又在中堂放火，然后大开庄门，带领朱武三人和众庄客冲了出去。史进像一头猛虎，左冲右撞，无人敢挡，很快杀出一条血路。猎户李吉正被他碰上，让他一刀杀了。两个都头也被陈达、杨春赶上，一人一刀，结果了性命。县尉见状，吓得拨马便逃，众士兵哪里还敢向前，都各自逃命散了。

　　史进这才引着一行人，且杀且走，和朱武、陈达、杨春一起，并庄客人等上了少华山。

都头：军职名。宋代于禁军中设都头、副都头，其职位低于指挥使。这里指县衙门的下级武吏。

火箭

　　这种火箭是将火药团绑在箭杆上，点燃引线后发射出去的。利用弓箭发射的叫弓火箭，利用弩机发射的叫弩火箭。

烹茶画像砖

图中是一位正在制作功夫茶的女子。中国的茶文化源远流长，自唐代始，中国人就形成喝茶的习惯。宋时各大都市中茶馆林立，生意兴隆，茶楼、茶坊成为社会三教九流等各界人物的聚集之地。

茶博士：在茶馆里跑堂的堂倌，一般叫茶房。茶博士是雅称。

史进在茶馆内遇见了经略府的提辖鲁达。

第三章

鲁提辖拳打镇关西

史进上了少华山后，在那里住了几日，觉得在此不是长久之计，打算到延安府去寻找师父王进。朱武等劝他在山上落草为王，史进坚决不肯，执意要走。朱武三人见苦留不住，只得送史进下山，史进洒泪而别，朱武等与众喽啰自回山寨不提。

且说史进提了朴刀，离了少华山，直奔延安府路上而来。一路上饥食渴饮，夜住晓行，走了有半个多月，他来到了渭州。恰巧这里也有一个经略府，史进想也许师父王进就在这里，便走进城来。

史进进了一个茶馆，向茶博士打听王进的消息。这时，茶馆里又走进一个军官模样的大汉，茶博士道："客官要寻王教头，只问这个提辖，便可得知。"史进忙过来向那大汉施礼，那大汉见史进身材魁梧，像条好汉，便与史进一起坐下。大汉道："我是经略府的提辖，姓鲁名达。敢问阿哥尊姓大名？"史进答道："在下华阴县史进，我有个师父，是东京八十万禁军教头王进，不知可在此经略府中？"鲁达一听乐了，他早就听说过九纹龙史进的名字，今日一见，果然名不虚传。鲁达道："真是闻名不如见面，见面胜似闻名。你要找的王教头不在这里，听说他在

延安府老种经略相公
处。这是渭州，由小
种经略相公镇守。
你既是史大郎，俺
早闻你的大名，
咱们到街上吃
杯酒去。"

鲁达挽着
史进的胳膊来
到街上，看到一
群人围在那里。
史进分开众人，见一个
人站在中间，竖着十来条棍棒，地上摊着

史进和鲁达二人在街上碰到
打虎将李忠在耍棒卖药。

十几个膏药，原来是江湖上使枪棒卖药的。史进一看，
卖药的竟是自己的第一个师父打虎将李忠。史进与李忠
相见了，鲁达道："既是史大郎的师父，一起去喝杯酒
吧。"李忠道："等我卖了膏药，一同和提辖去。"鲁达
不耐烦道："谁有工夫等你，去便同去。"说完，把那看
的人，一推一个，骂道："你这厮们都走开，不走的，洒
家便打。"众人见是鲁提辖，一哄都散了。李忠见鲁达
凶猛，不敢言语，只得陪笑道："提辖好急性的人。"当
下收拾了行囊，和鲁达、史进走来。

洒家：人称"我"的代称。多见
于早期白话男性自称。

　　鲁达三人转弯抹角，来到一个有名的潘家酒楼，拣
了个干净整洁的套间坐了。酒保上来招呼，问他们吃什
么，鲁达大声道："不用聒噪，先打四斤酒来，饭菜拣
好的只管端上来，一起算钱给你。"酒过数杯，三个人
正说些闲话，忽听见隔壁房间里有人哽哽咽咽地啼哭。
鲁达心里焦躁，把碗儿、碟儿都丢在楼上，弄得哗啦啦
地响。酒保忙上来说话，知道他不好惹，只得陪着小心。
鲁达怒气冲冲地喊道："你也认得我是谁，我又不曾少

宋青釉印花碟
　　碟子是盛菜蔬或调味品的器
皿，比盘子小，底平而浅。此碟为
葵形口沿，碟心模印一朵枝叶茂
盛的牡丹，釉色青中闪绿，光泽莹
润，是宋朝耀州窑的产品。

金老父女向鲁达等人诉说自己的遭遇。

伎乐俑

这对人物俑手拿乐器，是宋代伎乐演员的典型形象。宋代市井文化十分丰富，城市里到处有瓦舍、勾栏等娱乐场所，有说书、说唱、皮影、傀儡戏等各种艺术表演形式。

了你的酒钱，为何弄些人在隔壁吱吱地哭，搅了我们的酒兴？"酒保赔罪道："官人息怒，小人不敢叫人啼哭。这个哭的，是卖唱的父女两人，一时因有苦处方才啼哭，并不知官人在此饮酒。"

鲁达听了道："这倒怪了，你与我把他们叫来。"不一会儿，只见一个十八九岁的妇人和一个五六十岁的老儿，手拿串板，来到面前。鲁达问："你两个是哪里人氏？为何在此啼哭？"那妇人先道："奴家是东京人氏，与父母来渭州投奔亲戚。不想亲戚搬走了，母亲染病去世，剩我父女二人。这里有个财主，名唤镇关西郑大官人，强娶奴为妾。写了三千贯文书，却是虚文，没有给钱。他家大老婆十分厉害，不到三个月，就将奴家赶出来。只此不算，还要向我父女索要那不曾给的三千贯钱。我父女争不过他，只得在这酒楼上唱些小曲儿，挣钱还他。每日得些钱来，大半都还了去。我父女两个想到这些苦处，故此啼哭。"

鲁达又问："你姓什么？那个郑大官人又是谁？住在哪里？"那老儿道："老汉姓金，女儿小字翠莲。那郑大官人就是状元桥下卖肉的郑屠，绰号镇关西。"

鲁达听后大骂："我道是哪个郑大官人，原来是杀猪的郑屠，他不过是个肉铺户，也敢这样欺负人！"说着，就要出去打那郑屠。史、李两人连忙死命把他劝住。鲁达只得先耐住性子，对金老汉道："老儿你来，我给你些盘缠，明早就送你父女回东京。"说完，从身上摸出五两银子，又问史进要了十两。李忠只拿出二两，鲁达嫌少，又丢还了他。总共是十五两银子，鲁达一并给了金老汉。金老父女千恩万谢，回客店去了。

鲁达与史进、李忠三人也就此离开酒楼，史进、李忠各投客店去了，鲁达回到经略府前的住处，晚饭也不曾吃，就气愤愤地睡了。再说金老父女得了十五两银子，回到店里，赶快收拾行李，算还了房钱，并到城外租了一辆小车，只等明早鲁达来送他们回家。

鲁达一夜不曾睡好，天刚亮，就大踏步地来到金老父女歇息的店里，催促他们赶快动身。店小二因受了郑屠托付，见他父女二人要走，便拦住不肯放行。鲁达道："他少你的房钱？"小二道："小人房钱不曾少，只是郑大官人的典身钱还没有还清。"鲁达道："郑屠的钱，洒家自会还他，你放这老儿还乡去。"小二还是不肯放，鲁达大怒，伸开五指，一巴掌打在小二脸上，打得那店小二吐血，吓得不敢再吱声。金老父女连忙拿了行李，离店去了。鲁达生怕店小二赶去拦截，在店

商州王吉银锭

银锭是古代大额流通货币之一。此银锭长4.3厘米，高1.9厘米，约重121.2克。银锭上刻有"商州"、"王吉"等字，商州为宋时的陕西商县，王吉应为工匠的名字。

鲁达怕店小二去拦截金老父女，在店里坐了两个时辰。

里坐了两个时辰，约莫金老去远了，方才起身，直奔状元桥而来。

且说郑屠在状元桥下开了一个肉铺，这天，他正坐在柜台里看十来个刀手卖肉。鲁达走上前去，喊了一声："郑屠！"郑屠见是鲁提辖，慌忙出来招呼。鲁达在一条凳子上坐下道："奉经略相公之命，要十斤精肉，切做

"鲁达在一条凳子上坐下道：'奉经略相公之命，要十斤精肉，切做臊子，不要有半点肥的在上面。'"

臊子，不要有半点肥的在上面。"郑屠答应一声，忙让手下人去切。鲁达道："不要那些腌臜厮们切，你自去给我切来。"郑屠应诺，亲自去拣十斤精肉，细细切来。足足切了半个时辰，方才切好，郑屠用荷叶包了。鲁达又道："再要十斤肥的，也切成臊子，不要见一点精的在上面。"郑屠忍不住问道："刚才要精的，怕是府里包馄饨，要肥的何用？"鲁达瞪着眼睛回道："这是相公的命令，谁敢问他？"郑屠只得又耐着性子，选了十斤肥的，也细细地切了。整整弄了一个早晨，郑屠把精肉和肥肉都切好，正准备让人给经略府里送去。鲁达又道："再给我来十斤寸金软骨，也切做臊子，不要见些肉在上面。"郑屠无奈笑道："提辖莫不是特地来消遣我的？"鲁达听罢，跳起身来，拿起那两包臊子肉在手里，瞪着郑屠喊道："洒家就是特地来消遣你！"说完，把那两包臊子，劈面向郑屠打去，好似下了一阵肉雨。

郑屠大怒，从肉案上绰起一把剔骨尖刀，就跳将过来。郑屠右手拿刀，左手便要来揪鲁达。鲁达就势按住他

黄花梨大条凳

条凳即长凳，是凳面狭长而无靠背的坐具的统称。一般凳体呈长方形，其长度至少可供二人并坐，属于日常家居用具，古代社会里通常为小户人家常用。

的左手，赶上去，照小腹上只一脚，就将郑屠踢倒在当街上。鲁达又赶上一步，踏住郑屠胸脯，提着醋钵大小的拳头，骂道："你是个操刀的卖肉屠户，狗一般的东西，也配叫镇关西！说，你如何强骗了金翠莲！"说着扑的一拳，正打在鼻子上，打得郑屠鲜血迸流，鼻子歪在半边，好似开了油酱铺，酸的、咸的、辣的都一起滚出来。

臊子：方言，肉末或肉丁。

腌臜：方言，脏，不干净。

郑屠爬不起来，尖刀也丢在一边，嘴里直叫："打得好！"鲁达提起拳头，照眼眶上又是一拳，这一拳打得郑屠眼棱缝裂，眼珠迸出。两边看的人，都惧怕鲁达厉害，没一个敢上来解劝。郑屠挨不过，当街求饶。鲁达喝道："你个破落户，若是和俺硬到底，我倒饶了你。你讨饶，我偏不饶！"说完，又一拳，直打在太阳穴上。郑屠扑倒在地，嘴里只有出的气，没了进的气，一动不动。鲁达见了，怕吃官司，寻思得及早脱身，便拔步而走。他一边走，一边回头指着郑屠道："你装死，洒家慢慢和你理会。"说着，大踏步去了。

鲁达匆匆回到住处，急急收拾了些衣服细软、银两盘缠，提了一条齐眉短棍，奔出南门，一溜烟走了。

鲁达又赶上一步，踏住郑屠的胸脯，提起醋钵大小的拳头就打。

铜钱和铁钱

钱币是比银子低一等的货币，一般价值较小，多在下层劳动人民中间通用。旧时用绳索串钱，每一千个钱是一贯。这些钱币用铜或铁铸成，是北宋的铸币。

一个人抱住鲁达，拽着他离开十字路口。

｜第四章｜
花和尚大闹五台山

且说鲁达打死郑屠后，收拾行李逃走，一路上慌不择路，胡乱走了半个多月，来到了山西代州雁门县。入得城来，鲁达见一群人围在十字路口看榜。他大字不识一个，就挤进去听，却听到"捕捉打死郑屠犯人鲁达"等语。正在此时，忽听背后有人叫道："张大哥，你怎么在这里？"然后，一把把他拦腰抱住，拽离了十字路口。鲁达回头一看，不是别人，竟是他在渭州搭救的金老汉。金老汉把鲁达拉到僻静处，说道："恩人，你好大胆，刚才榜文上明明写着出一千贯钱捉拿你，你为何还在那看榜？要不是被老汉看见，岂不是被公差拿去了？"鲁达道："洒家不瞒你，前日在渭州为你之事，打死郑屠，一路逃了四五十日，不想来到这里。你为何不回东京，也在这里？"

金老汉道："我父女二人自得恩人救了，逃出渭州，只怕郑屠派人追来，不敢回东京去。路上碰到一位老邻居，他带我们来到这里，并为小女做媒，让她嫁给了一位财主赵员外。小女经常在赵员外面前说起提辖大恩，那员外也是个爱使枪弄棒的，久慕提辖

因怕官府缉拿，鲁达只好到
五台山落发为僧。

大名，常想见提辖一面。且请恩人跟我到家过几日，再
做商议如何？"

　　鲁达现在无处可去，乐得跟金老汉走。金老汉领鲁
达来到赵员外庄上，赵员外非常欢喜，留鲁达在此住下。
六七天后，鲁达正与赵员外在书房闲坐说话，金老汉慌
慌张张地赶来，对鲁达道："恩人，昨日官府有几个公
差在街坊邻舍打听，恐怕是来缉拿恩人的。倘若有些闪
失，那就不好了。"鲁达道："这样的话，我走就是了。"
赵员外道："若让提辖如此走了，我等心里都过意不去。
离此地三十里处的五台山上有个文殊院，寺里的智真长
老是我好友。提辖若肯的话，我介绍提辖上五台山落发
为僧，这样足可让提辖安身避难。"鲁达心想：现在也
无处投奔，不如就走了这条路吧。

　　于是第二天一早，鲁达便随赵员外上了五台山。智
真长老看在赵员外面上，选了个黄道吉日，为鲁达剃

五台山寺院
　　五台山位于山西省东北部忻
州地区，是著名的佛教圣地，四大
佛山之一，相传这里是文殊菩萨
的应化道场。

象牙雕和尚

和尚是对出家修行的男性佛教教徒的称呼。一般俗世人出家时都要把头发剃掉，称为剃度。剃度的含义是去除烦恼和错误习气，去掉人间的骄傲怠慢之心和俗世的一切牵挂。另外，剃度也是为了区别于其他宗教的教徒，人们一般见到光头僧人，就知道他是佛教教徒。

度。剃度毕，长老又赐法名智深，并赐了袈裟，教了佛门戒律。

第二天，赵员外告辞下山，走时一再叮咛鲁智深不要惹是生非。又对长老说智深生性鲁莽，请长老多多担待。赵员外走后，鲁智深每天吃饱了倒头就睡，既不念经，也不学坐禅，一点出家人的规矩都没有。众僧实在不能忍受，便去向长老禀报，反被长老呵斥一顿，从此再也无人管鲁智深的事了。

鲁智深在五台山上，不觉搅和着过了四五个月。时值初冬天气，鲁智深久静思动，不觉心痒难耐。他信步走出山门，来到半山亭子上，正在想酒喝，只见一个汉子挑了一担酒上来，也坐在亭子上歇息。智深问："多少钱一桶？"那汉子道："我这酒不能卖给寺里僧人。长老有法旨：但凡卖给和尚吃了，就要被责罚，追回本钱，赶出屋去。我现在住着寺里的房子，如何敢卖酒给你？"智深仍要强买，汉子死活不卖，挑担要走。智深赶上去，双手拿住扁担，一脚踢得那汉子半天爬不起来。鲁智深把两桶酒提到亭子里，只顾舀冷酒喝，不一会儿，就喝光了一大桶，喝完，对那汉子道："明天到寺里来拿酒钱。"那汉子怕被寺里长老得知，丢了饭碗，哪里还敢讨酒钱？他把酒分作两半桶挑了，飞也似的下山去了。

鲁智深喝过酒，又在亭子上歇了半天，酒劲却上来。他脱了上衣，光着膀子，东倒西歪地上山来。两个看门的和尚见他喝得烂醉，不让他进门。鲁智深初做和尚，旧性未改，瞪起眼睛大骂，便要上前来厮打。两和尚见势头不好，一个跑去向监寺报告，一个拿

鲁智深踢倒卖酒的汉子，抢过酒桶就喝。

竹篦拦住智深。鲁智深一个巴掌上去，把拦他的和尚打倒在地，踉踉跄跄地闯进门来。正赶上监寺听了和尚禀报，带了火工、轿夫等二三十人，拿着棍棒来截他。鲁智深见状，大吼一声，却像打了个霹雳一样，把众人吓得退入藏殿里，关门上闩。鲁智深抢上台阶，一拳一脚，把门

"鲁智深抢过一条棒，把众人打出殿来。"

打破，二三十人被赶得无路可走。鲁智深抢过一条棒，把众人打出殿来。

　　监寺见势不妙，慌忙去报告长老。长老闻讯赶来，喝住智深。鲁智深虽然酒醉，倒还认得长老，他撇了棒，对长老道："智深不过吃了两碗酒，又不曾招惹他们，他众人就来打洒家。"长老道："你看我面，先去睡了，明日再说。"智深这才下去休息了。

　　第二天一早，长老把智深叫去，训诫了一番。智深合掌认错，此事方才作罢。

　　从那以后，鲁智深一连三四个月都没出寺门。转眼到了二月，忽一日，天气暴暖，鲁智深心里又开始发痒，便信步走下山来，来到一个街市上。他先走进一个铁匠铺，让铁匠给他打造一口戒刀和一条水磨禅杖，讲好价钱，他便朝一个小酒店走去。

　　进了店门，鲁智深便叫上酒。但店主一见他是个和尚，就不肯卖酒给他。原来这店是五台山寺里出钱开

监寺：相当于寺院总管，其序职在寺院是最高的，上辅住持，下助监院，在禅堂的位次，坐在监院上首。一般大寺院设监寺，小寺院只设监院，多由首座弟子兼任。

鲁智深买了半只狗肉，扯着狗肉下酒吃。

银金花十二环锡杖

此锡杖为银质，杖杆是圆柱形，通体刻饰花纹并鎏金。锡杖是僧侣所持的用具，最初用途是驱逐恶犬等。佛教举行宗教仪式时，也使用短锡杖。后来锡杖上被饰以各种装饰，变得更为庄严。

的，长老也不准他们卖酒给寺里僧人喝。鲁智深一连走了几家，都是如此。他低头寻思一番，想出一个办法来。

鲁智深又走到一家酒店，开口便叫道："主人家，过路僧人买碗酒喝。"店主见他面目生疏，又不是本地口音，只道他不是五台山上的，便问他买多少。智深道："不要问，只用大碗盛来就是了。"智深一连喝了十几碗，忽然闻到一股肉香，见是店家在煮狗肉，便又买了半只狗肉下酒。鲁智深一边喝酒，一边吃肉，又喝了十来碗，把店主都看得呆了。吃饱喝足后，他见还剩了一只狗腿，便揣在怀里，算还了酒钱，摇摇晃晃地朝五台山去了。

鲁智深走到半山亭子上，酒劲上来。他将起袖子，走到亭下使起拳来，使得力发，一膀子扇在亭柱上，只听得"刮刺刺"一声响，把亭柱打折了，亭子塌了半边。山上看门的和尚听到声响，见他又喝醉了，吓得忙把山门关上。智深上得山来，见山门关了，不让他进去，一发怒，把门两边塑的两座金刚，一个打得掉了漆，一个打得搬了家。智深见久不开门，用力一推，便把山门撞开，直奔僧堂来。众僧正在打坐，见他进来，都吓得低了头。智深走到自己禅床边，酒往上涌，看着地上哇哇大吐。周围僧众都捂了鼻子。鲁智深吐完，又掏出狗腿，向四周几个和尚嘴里乱塞。有几个胆大的上来劝他，他就照着人家的光头乱敲。满堂僧众大乱，都喊叫着跑出来。

楠木供桌

供桌又称香案、供案，一般陈设于寺庙大殿正迎门佛像座前的居中位置，桌上放置香、花、果品和香炉、烛台等供品，是寺庙不可缺少的用具。

智深也在后面打出堂来，和尚们全吓得东躲西藏。监寺见他这等凶顽，领了火工道人、轿夫等一二百人持叉拿棒来打他。智深一见大怒，大吼一声，闯进僧堂，掀翻供桌，拆了两条桌腿出来。众僧不敢向前，都退到廊下。智深抢起桌腿，指东打西，指南打北，把一群人打得到处乱跑，直打到法堂下。正在混乱之际，长老赶来，喝住智深，两边众人已被打伤了数十个，见长老来了，都各自退下。智深这时酒也醒了八九分，只叫嚷着让长老做主。长老见此情形，把智深叫过来道："五台山是清净之地，岂容你一再撒泼？你野性不改，这里不能再留你了。且跟我到方丈里住一晚再说。"智深不敢再言语，跟着长老去了。

法堂:亦称讲堂，是演说佛法、皈戒、集会的地方，在佛寺中为仅次于佛殿的主要建筑，一般位于佛殿之后。

鲁智深酒往上翻，在禅床边哇哇大吐。

第二日，长老修书一封，对智深道："东京大相国寺的住持智清禅师是我师弟，我这里有一封书信，你可以到那里去投奔他。"到此时，智深只得拿了书信，往东京而去。

垂柳

　　垂柳属杨柳科落叶乔木，它枝条柔软，纤细下垂，不仅是优美的风景树、庭荫树，也是防风固沙、维护堤岸的重要树种之一。隋炀帝在开修河渠时，曾命在河岸两旁广泛种柳，并赐柳与己同姓，为"杨柳"。此后，杨柳便专指柳树。

职事僧：寺院里管某项事务的僧人。

鲁智深猛一用力，便将那棵柳树连根拔起。

第五章
豹子头误入白虎堂

　　话说鲁智深接了智真长老书信，下了五台山，先到山下的铁匠铺取了前日让铁匠打造的戒刀和水磨禅杖，便往东京去了。一路上逢山过山，逢庙住宿，行了约有一个多月，鲁智深来到东京大相国寺。住持智清禅师看在师兄面上，留下他做个职事僧，让他到枣门外看守一片菜园。

　　这菜园附近有二三十个泼皮，常到园子里偷菜撒泼，原先看园子的老和尚奈他们不得。这回鲁智深新到，众泼皮拿了果盒、酒礼，假装来给他道贺。他们把鲁智深骗到粪坑边，想把他摔进去。没想到智深已看出他们没安好心，不等他们近身，"腾腾"两脚就把为首的两个先踢进粪坑。其余的都吓得目瞪口呆，掉进粪坑的两个不住地求饶，鲁智深这才放过他们。

　　次日，众泼皮带着好酒好肉来向智深赔罪，智深见他们敬服自己，也便和他们吃喝起来。正喝得高兴，忽听门外一棵垂杨柳上乌鸦叫，众人都说不祥，要把鸦巢捣掉。智深乘着酒兴，走到那棵柳树前，右手向下，把身子倒绞着，左手握住树干上截，只一哈腰，便将那柳树连根拔起。众

鲁智深正在舞禅杖，林冲站在墙豁口处观看，不觉看得呆了。

泼皮见了，都拜倒在地，叫道："师父真是天神罗汉，没有千万斤气力，怎么能拔得起？"

自此之后，这二三十个破落户对智深是服服帖帖，无不应从。智深也乐得他们吹捧自己，便时常和他们喝酒吃肉，十分高兴。一日，智深喝到兴浓处，应众人之请，舞起他那条有六十多斤重的水磨禅杖来。只见他飕飕使动，上下翻飞，整个身子与禅杖舞成一体。众人见了，无不喝彩。

鲁智深正舞得高兴，只听得墙外一个人喝彩道："使得好！"他收手看时，只见一个军官模样的人，站在墙豁口处，长得豹头环眼，燕颔虎须，八尺多长的身材，有三十四五的年纪，口里还在说道："这个师父真是不凡，使得好兵器！"智深问此人是谁，众人都认得，说道："这是八十万禁军教头林武师，名唤林冲。"智深

月形铲

这是一种禅杖。禅杖多为佛教僧人持之，用做坐禅时的警睡之具，后渐成为江湖人士使用的一种兵器。禅杖通常长约五尺，通体铁制。两头有刀，均可使用，一头为新月牙形，另一头形如倒挂之钟，尾端两侧各凿一孔，穿有铁环。

林冲揪住调戏娘子的无赖，挥拳要打时，却认出是高衙内。

见林冲也是条汉子，便邀他过墙一叙。林冲跳过墙来，两人相见了，互道身世，彼此敬重，随即结为兄弟。智深道："教头为何来到这里？"林冲答道："刚才与拙妻并使女锦儿一同到附近岳庙还香愿，路过这里，见师兄禅杖使得好，看得入迷，便打发她们先去了。在此逗留，不想得遇师兄。"

两人正谈得高兴，忽见使女锦儿慌慌张张地跑来，在墙豁边叫道："官人不好了，娘子在五岳楼下被一个无赖拦住调戏。"林冲闻言慌忙起身，别了智深，便和锦儿匆匆赶往岳庙。

林冲赶到五岳楼下，见一群人围在栏杆边，一个年轻后生，背立在楼梯上，拦住自己娘子道："你且到楼上去，我和你说话。"娘子红着脸道："这清平世界，你调戏良家妇女是何道理？"林冲赶到跟前，一把扳过那后生的肩胛来，喝道："调戏良人妻子，该当何罪？"正待提起拳头要打时，却认出是高太尉的干儿子高衙内。这高衙内仗着他干爹撑腰，在东京城里胡作非为，专爱奸淫人家妻女。京城人都不敢和他争执，背后叫他花花太岁。

当时林冲认出是高衙内，自己先手软了。高衙内叫道："林冲，关你何事！要你来多管！"原来他还不知道这是林冲的娘子，旁边那些跟班忙上来解劝，哄着高衙内走了。林冲瞪着眼睛，气得鼓鼓的，但碍于高太尉情

《恩荫子弟游乐图》

恩荫制度是北宋时取士用人的一大途径，现任及辞任的文官武将皆可以荫子若干，可谓一人入仕，则其子孙亲族皆可得官。那些凭借父辈得到恩荫的纨绔子弟，整日游手好闲，吃喝玩乐，大大加重了人民的负担。高衙内就属于这类纨绔子弟。

面，也不好把高衙内怎么样。待一群人走后，他领着娘子和使女锦儿回家，心里一直闷闷不乐。

再说那高衙内，自从见了林冲娘子后，竟是非常着迷，因得不到手，终日不快。众多帮闲中有一个叫富安的，看出他的心思，为他想出一条计策来。

高太尉府上有个虞候，名唤陆谦，是高家父子的心腹，也与林冲十分要好。一天，陆谦来到林冲家里，叫林冲出去喝酒。林冲正连日在家气闷，便随陆谦来到一个酒楼上。两人坐下后，林冲一连喝了好几杯，他下楼净手，忽然见锦儿匆忙赶来，说道："官人不好了。你走后不久，有个汉子来说你出事了，将我和娘子骗到陆虞候家里。前日调戏娘子的那个无赖上来就把娘子关在楼上，欲行不轨。"

林冲一听，吃了一惊，方明白是陆谦从中做了手脚，三步两步赶到陆谦家，抢上楼去，楼门却关着。只听娘子在里面喊道："光天化日，为何把良家妇女关在

衙内：封建社会老百姓对官宦子弟的称呼。

虞候：官名。西魏时始设此官职，后世皆沿用旧制。宋时于殿前司、侍卫亲军马军司、步军司设置都虞候，位次于都指挥使和副都指挥使。此外又有将虞候、院虞候等低级武职。"虞候"在这里应指低级武职。

"林冲冲进楼来，不见了高衙内，气得把陆谦家打得粉碎。"

北宋柳叶刀

刀位居十八般兵器之首，是我国最早出现的兵器之一，一般由刀身和刀刃两部分组成。这把北宋柳叶刀刀身及刃部较宽，刀头上翘，刀柄有护手，具有极大的攻击力和杀伤力。

这里？"又听高衙内的声音道："娘子，可怜可怜我吧。即使是铁石心肠，也该软了。"林冲在外叫道："娘子开门！"高衙内听出是林冲的声音，吓得打开楼窗，跳墙跑了。林冲冲进楼来，不见了高衙内，气得把陆谦家打得粉碎。

回到家后，林冲拿了一把尖刀，要找陆谦算账。陆谦早吓得躲进高太尉府中，不敢出来。

再说那高衙内，被林冲一惊一吓，竟生起病来。高俅得知内情后，心疼干儿子，便与陆谦、富安二人商议了一条除掉林冲的毒计。

一天，林冲与鲁智深穿过一条巷口，见一个汉子手里拿着一口刀，在那里叫卖。林冲只顾和智深说着话走，没有理会。那汉子却在背后一再喊道："好口宝刀，可惜没有识货的人。"林冲回转身来，见那口刀明晃晃的，夺人眼目。正是好汉爱宝刀，林冲一见喜欢，当即便讲好价钱，买了下来。

他把刀拿回家里，翻来复去看了一回，越看越爱，直看了一个晚上不曾放手。

林冲见果然是把宝刀，便讲好价钱，买了下来。

第二天天没亮，林冲就起来看刀。到中午时分，却有太尉府中的两个承局来说道："林教头，太尉听说你买了口好刀，现叫你拿去比看，太尉正在府里等你。"林冲听了，只好拿了刀，随他们到太尉府中而来。路上，林冲问："你两个我怎么没见过？"两人只说是新来的。

林冲没有多想，径直跟他们来

到太尉府的厅前，林冲止了步，那两人道："太尉在里面后堂等你。"林冲又跟他们来到后堂，但仍不见高太尉。林冲又停住脚，两个承局道："太尉还在里面，叫我等领教头进去。"林冲只得继续跟他们走，又过了三重门，到了一个地方，周边都是绿栏杆。两个承局领他到堂前，说道："教头在此稍等，我等去禀报太尉。"说完，径直走了。

林冲带刀见是白虎节堂，正待要走，高太尉走了出来。

　　林冲拿着刀，在檐前等了半天，不见有人来。这时，他心里才开始疑惑，探头一看，见堂前匾额上写着"白虎节堂"四个大字。林冲心里吃了一惊，这白虎堂是商议军机大事的地方，闲杂人等是不能随意进来的。林冲正待要走，只见高太尉气势汹汹地走了出来，喝道："林冲，你好大胆，竟敢擅自闯到白虎节堂，手里还拿着刀，莫非是来刺杀本官的不成？"林冲待要分辩，高太尉把手一挥，喝叫左右把林冲拿下。旁边冲出二十多人，不由分说，连拖带拽，把林冲绑了。高太尉仍大声怒斥："你既是禁军教头，如何不知法度？竟手持利刃，闯入节堂，来害本官。"林冲一再喊"冤枉"，高太尉一概不听。他本想就此斩了林冲，但怕事有不妥，便让人把林冲押到开封府去，欲借开封府尹之手治林冲死罪。

承局："承局"有多种含义：一、指宋代的一种低级军职，属殿前司。二、为差役的尊称。三、清代时，指皇帝委派到各省办理事务的承办人。文中"承局"应指第一种意思，为低级军职。

古代民居遗址复原图

这是一种四合院院落。四合院早在三国两晋时期就十分盛行，是中国古代以至到现代居民住房的最普遍形式。四合院的形制到宋时才基本完善，格局也趋于统一化。宋代大户人家的庄园都基本建成四合院形制。

｜第六章｜
林教头风雪山神庙

话说林冲误入白虎堂，高太尉本想借此要了林冲性命，但开封府尹怜林冲是条汉子，又知他冤枉，最终断林冲二十脊杖，刺配沧州。高太尉情知自己理亏，也只得如此。但他并不善罢干休，又买通了押送林冲的两个公差董超和薛霸，让他们在路上加害林冲。

董、薛二人得了高太尉的银子，一路上折磨林冲，正要在一个叫野猪林的地方杀害林冲时，不料鲁智深却从林子里跳出来，救了林冲性命。又得他一路护持，林冲才免遭不测。到了沧州附近，鲁智深见前面路上安全，才放心离去。董超和薛霸两人知道了花和尚的厉害，不敢再对林冲下手。

到了沧州，林冲听说有一位柴大官人就住在附近，便去拜望。这位柴大官人姓柴名进，是后周柴世宗的子孙，专好仗义疏财，结交天下好汉，江湖上人称小旋风。柴进与林冲一见如故，两人早就互闻大名，相互敬佩。柴进安排酒饭、客房，留林冲在自己庄上住了几日。临行前，柴进又送了林冲许多银两，并写了两封书信，请沧州牢城的管营和差拨照顾林冲，林冲拜谢而去。

林冲到柴进庄上拜见柴进。

林冲在街上遇到东京的熟人李小二。

来到沧州牢城，林冲上下打点，管营和差拨得了银子，又有柴进的书信，对林冲格外照顾，免了林冲的一百杀威棒，只派他去看守天王堂。

林冲自此在天王堂内安顿下来，每日只烧香扫地，日子倒也过得清闲自在。不觉过了一个多月，柴进又派人给林冲送来冬衣和银两，林冲亦时常拿钱物救济营内的囚徒。

将近深冬时节，一日，林冲在街上闲走，忽听背后有人叫道："林教头，你怎么在这里？"林冲回头一看，见是原来的一个熟人李小二。当年在东京时，这李小二在酒店卖酒，因偷了店主家财物，被捉住要押送官府，多亏林冲说情，免了他官司，并送他盘缠，他才得以到别处安身。林冲道："小二哥，你怎么在这里？"李小二过来拜道："自从得恩人救济，一路来到沧州，投靠在一家酒店帮忙做买卖，店主人见小人勤谨，就招我做了女婿。现在丈人、丈母都已去世，只剩了我夫妻两个，在营前开了个茶酒店。不知恩人因何事来到此地？"林

差拨：这里指牢营里的差役。

杀威棒：封建衙门里常用的一种体罚犯人的刑具。新到的囚犯见县太爷时，为防止囚犯桀骜不驯，常有先打一百杀威棒的"规矩"。

李小二向林冲说起那个东京
来的可疑军官。

酒肆人物俑

这对人物俑是一对店主夫妻，两人一个手捧酒坛，一个端着酒碗，好像正在招呼客人。北宋时期，市井生活繁荣，京城内到处可见生意红火的酒肆和茶馆。

冲遂将自己的遭遇本末都告诉了李小二。

李小二请林冲到自己家里，让妻子出来拜见，夫妻两个都十分欢喜。小二道："恩人以后的衣食就由小人夫妻来照顾吧。"说完，他立即安排酒饭，请林冲吃了。自此之后，小二经常到营里给林冲送汤送水，林冲的衣服也拿来让妻子缝补浆洗。林冲见他们恭敬实在，也就时常到他们店里，拿些银两给小二做本钱。

一日，李小二店里来了一个军官模样的人。那人给了小二一两银子，让小二把管营和差拨请来。三人坐定后，那军官便将小二支走，不让小二服侍。李小二见他形迹可疑，说话又是东京口音，怕与林冲有关系，便让妻子去房间背后偷听。小二妻子听了一个时辰，因他们说话声小，未听得仔细，只见那军官给了管营和差拨一包银两。又听到差拨说了一句："都在我身上，一定结果了他性命。"

待这几人走后，正巧林冲来到店里。小二便将此事说与林冲。林冲问道："那人长得什么模样？"小二道："五短身材，白净面皮，没什么胡须，约有三十多岁。"林冲听了大怒道："这人正是陆谦。这泼贼竟敢来这里害我，休要让我撞见，否则让他骨肉为泥！"说完，怒气冲冲地走了。

林冲先到街上买了把尖刀，带在身上，前街后巷地寻找陆谦，但一连寻了几天，也不见消耗。

又过了两天，管营把林冲叫到跟前，说道："你来这里多时，不曾抬举你，看柴大官人面上，今派你去东门外十五里处看守草料场，每月只管交纳草料，还可得些例钱。"这看守草料场是个好差使，既省力，又可得钱。林冲见这管营非但没有害他，还给他个好差使，心里有些疑惑，但还是去了。

林冲来到草料场，天正好下大雪，他安置好行李，看那草屋四下里都坏了，被风吹得左右摇动。林冲烤了一回火，觉得身上寒冷，便用花枪挑了酒葫芦，到二里外的市井去买酒喝。

消耗：音信。多见于早期白话。

外面的雪下得正大，林冲顶着风雪走了二里多路，在一家小酒店要了热酒和熟牛肉。吃饱喝足后，他又买了一葫芦酒，包了两片牛肉，揣在怀里，飞也似地奔回到草料场。

这时，天已黑透，雪越下越大。林冲进草料场一看，只见那两间草屋已被风雪压倒了。林冲心里叫苦，扒开茅草，探半身进去，只摸出一条棉被来。他见天色晚了，心里寻思道：这么大雪，怎能过得了这一夜？忽然想起刚才打酒时路过一座山神庙，林冲便把被子卷了，依旧用花枪挑了酒葫芦，一路朝山神庙而来。

林冲来到庙里，关了庙门，见旁边有一块大石头，便搬过来把门靠住。走到里面时，林冲见殿上塑着一尊金甲山神，两边一个判官，一个小鬼，没有庙主看管。林冲把身上的雪抖掉，铺开棉被盖住下半身，靠在一旁，慢慢地喝那酒葫芦里

"林冲进草料场一看，只见那两间草屋已被风雪压倒了。"

葫芦

葫芦是一年生草本植物，茎蔓生，叶子心脏形，花白色。其果实中间细，两头大，像两个球连在一起，上小下大，表面光滑。成熟后，挖去里面的籽和瓤，可做器皿，用以存放水或酒等。

的冷酒，拿出怀里的牛肉来吃。

正在吃时，忽听到外面噼噼啪啪地爆响，林冲跳起身来，在壁缝里往外看，只见草料场里燃起大火，那火势蔓上草堆，正烧得一个旺。林冲拿起花枪，正要开门去救火，外面却传进说话声来。林冲伏在门边，听到是三个人的脚步声，直奔庙门而来。他们在外面用手推门，因里面用石头顶住了，推不开，三人便在庙檐下看火。只听一个道："这条计好吗？"另一个应道："多亏管营和差拨用心，回去禀告太尉，一定保二位做大官。"又一个道："林冲这回让我们对付了，高衙内的病必然能好了。"这三人不是别人，正是陆谦、富安和差拨。原来大火是他们放的，想把林冲烧死。即使林冲不死，也会被治罪。

林冲在里面听了多时，怒火直往上蹿，他轻轻搬开石头，挺起花枪，一把拽开庙门，大喝一声："泼贼哪里去？"三个人见林冲从里面出来，都惊得呆了，急得要跑时，却是跑不动。

陆谦、富安和差拨三人在庙檐下得意洋洋地看火。

林冲抬手，一枪先搠倒差拨。陆谦吓得慌了手脚，腿都软了，走不动，只叫："饶命！"那富安跑不到十来步，被林冲赶上，后心上只一枪，也被搠倒了。林冲转身回来，陆谦才跑了三四步，林冲喝道："奸贼，你往哪里去？"只胸

前一提，便将陆谦丢翻在雪地上。林冲踏住陆谦胸脯，身上取出那把尖刀来，搁在他脸上，喝道："泼贼，我与你有什么冤仇，你为何这等害我？正是杀人可恕，情理难容。"陆谦求饶道："不关我的事，是太尉差遣，我不敢不来。"林冲骂道："奸贼，我与你自幼相交，你却这样来害我，怎不关你的事？先吃我一刀。"说着，林冲将陆谦的上衣扯开，把尖刀朝心窝里一剜，心肝便提在手里。杀了陆谦，林冲回头看时，见差拨没死，正爬起来要走。林冲上去按住，喝道："你这厮原来也这样歹毒，且吃我一刀。"一刀便将差拨的头割了下来，挑在枪上。林冲又将陆谦、富安的头割了，将三个人头绾在一起，走进庙里，都摆在山神面前的供桌上。

这时，外面的雪下得更猛，林冲戴上斗笠，将葫芦里的冷酒都喝了，丢了葫芦，提了枪，出庙门向东而去。

"林冲抬手，一枪先搠倒差拨。陆谦吓得慌了手脚，腿都软了，走不动，只叫：'饶命！'"

灭火陶井

这个陶制井，利用中间滑轮的升降来汲水，井台上还刻有"东井灭火"四个字，是古代农村的一种消防工具。

黄河

黄河发源于青藏高原，是中国的母亲河。它流经青海、四川、甘肃、宁夏、内蒙古、陕西、山西等地，到华北平原的河南、山东，然后注入渤海，全长5464千米，流域面积75.24万平方千米。黄河因其流经黄土高原，携带大量泥沙，水为黄色，故称黄河。

第七章

汴京城杨志卖宝刀

林冲在山神庙杀了陆谦等三人后，又辗转来到柴进庄上，住了几日后，因官府出榜文缉拿他，他不能再在此逗留。柴进写了一封书信，推荐他到山东梁山泊上落草，林冲无路可走，只好乘着雪夜上了梁山。

此时，梁山泊上当家的头领是王伦、杜迁和宋万，三人都曾受过柴进的恩惠。林冲持了柴进的书信到山上入伙，杜迁和宋万都十分乐意。但大头领王伦为人心胸狭窄，他怕林冲本事高强，将来不服管制，便不愿让林冲入伙，只想打发他下山。无奈林冲一再请求，杜、宋二人也帮着说话，王伦便让林冲三日内杀一个人来，以表落草的真心。

挑担的汉子见了林冲，扔下担子，转身就跑。

林冲在山下等了两天，也不见一个孤单行人经过。到第三天时，林冲在山下直等到下午，忽见一个汉子挑了行李，远远地向这边走来。林冲等那汉子走近了，提着刀猛地跳出去，那汉子见了林冲，扔下担子就跑。林冲追赶不上，叹气道："我的命真是苦。等了三天，好容易等了一个人来，又让他跑了。"

林冲正自叹气，山坡下又走出一条大汉来。那大汉提着大刀，见了林冲，大声喝道："泼贼，把俺行李拿到哪里去？洒家正要捉你这厮们，你倒来捋虎须！"说着，飞也似地冲过来。林冲打眼一看，见那大汉有七尺五六的身材，脸上有一大块青记。林冲见他来得势猛，自己正没好气，提刀迎上去，也不搭话，便与他打了起来。两人战在一起，山脚下好似涌起两股杀气，一来一往，直斗了三十来回合，不分胜负。

杨志来索要行李，与林冲斗得杀气腾腾，难解难分。

两人正斗得难分难解之际，山高处有人叫道："两位好汉不要斗了！"两人听见，都收住刀，跳出圈外。向上看时，原来是王伦等人带着小喽啰们下来了。王伦对那大汉说道："两位的刀法，都是神出鬼没，真是好身手！这位是我的兄弟豹子头林冲，不知好汉尊姓大名？"那大汉道："洒家乃将门之后，武侯杨令公之孙，姓杨名志，人送绰号青面兽。当年曾做过殿司制使，因奉当今皇帝之命，到太湖边搬运花石纲到京，不料途经黄河时，遇风打翻了船，失了花石纲，丢了官职。如今听说皇上赦免了我等之罪，洒家欲到东京再谋个差事。"

众人一听是青面兽杨志，都知道他的大名，便邀请杨志一起到山上去喝杯酒，杨志也只好跟着众人来到梁山泊上。王伦心想：不留林冲，实难驳柴进等人的面子；留下林冲，又难管制。不如一起留下杨志，好让他与林冲为敌。

于是，王伦道："我这个兄弟林冲，本是东京八十

殿司制使：制使，原意是皇帝所派出的使者。殿司制使，即朝廷派出办理公务的官员。

北海名石

这是从江南运到京师的花石遗物。宋代漕运习惯把十艘船编为一"纲"，运送的货物就称"某某纲"。北宋权臣蔡京为了迎合徽宗附庸风雅、建造园林假山的喜好，下令运送江南花石到都城开封，故此称为"花石纲"。

高俅大骂杨志，将杨志赶出
殿帅府。

掐丝菱纹柄金刀
　　这把金刀是刀柄与刀身合铸
而成，长条状，刀锋斜出，刀柄雕
有菱形花纹，柄末端有环。此刀长
8.9厘米，宽0.4厘米，是一件名贵
的装饰品。

万禁军教头。只因高太尉那厮容不得好人，陷他吃了官
司，发配到沧州，如今也是新到这里。制使要上东京谋
差事，现在正是高俅当权，恐怕他容不下你。不如就在
小寨安身，做个头领，咱们大碗喝酒，大块吃肉，同做
好汉。"

　　但杨志一心想回东京，再博取个功名，执意不肯留
在梁山。他道："多谢头领提携，但我东京有个亲眷，我
必要到那里走一遭。只请还我行李，我好下山。若不还
我，我空手也要走了。"王伦听了无奈，只好于第二天
送杨志下山。至此，王伦别无他计，只得让林冲做了梁
山泊第四把交椅。

　　且说杨志来到东京后，便上下打点，想要再重新补
殿司制使的职位。他花尽了钱财，才得了申报文书，被
引荐到殿帅府拜见高俅。那高俅把杨志从前的历事文书
看了后，大怒道："别的制使运花石纲，都回京师交纳
了，偏是你失陷了。你既然失了花石纲，不来回报，却

是逃跑，那许多时候都拿你不着。今日见赦了罪名，你倒又来谋差事。像你这等恶徒泼贼，怎能委用？"说完，一笔将文书都批倒了，扔在地上，将杨志赶出了殿帅府。

杨志气闷地回到客店，心想：当初王伦劝洒家，洒家没有听从，现在想来，他说的不无道理。本指望用这一身本事在边庭上立功，博个封妻荫子，不想那高俅如此刻薄狠毒！他闷闷不乐地在客店住了几日，眼见盘缠都用完了，没有办法，只好打算将祖传宝刀卖了，换点钱用。

杨志来到街上，插个草标，要卖宝刀。他一脸的落寞和惆怅，在街上立了两个时辰，却没有一个人来问。杨志心里又焦又躁，眼看到了晌午，只好再转到天汉州桥下的热闹处去卖。

刚立定不久，杨志看到两边的人都往河下的巷子里躲去。有人口里还喊着："快躲了，大虫来了！"杨志心中奇怪：这样一片繁华街市，怎么会有大虫来？他站住脚，向前看时，只见远处一个黑凛凛的大汉，喝得半醉，跌跌撞撞地走过来。原来此人是京城有名的泼皮无赖，仗着有一把子力气，专在街上撒泼、行凶，连闹了几场官司，开封府也治不了他。满城人都恨他，见了他都吓得躲开，叫他没毛大虫牛二。

且说牛二来到杨志面前，一把将那口宝刀从杨志手里扯过来，问道："汉子，你这刀卖多少钱？"杨志道："这是我祖上传下来的宝刀，要卖三千贯钱。"牛二不屑地道："什么鸟刀，要卖这么多钱？我三十文买一把，既能切肉，也能切豆腐。你这鸟刀，有什么

大虫：方言，即老虎。这里以大虫比喻牛二，意在说牛二像老虎一样随意害人，无人敢近。

杨志没了盘缠，在东京街头上卖祖传的宝刀。

靖康通宝

圆形方孔铜钱产生于公元 3 世纪，此后一直是我国历史上主要流通的货币之一。一般铜钱以铜为主要材料，掺入少量的铅、锡制成，质地坚硬，不易折断。北宋时制造过大量铜钱，图中这枚钱币是宋钦宗赵桓于靖康九年（1126年）铸造的。这是北宋最后的铸币，具有极高的收藏价值。

杨志一刀将铜钱剁成两半，牛二看得目瞪口呆。

好处，也叫宝刀？"杨志道："我这不是平常的白铁刀，确是一把宝刀。第一，它削铁如泥；第二，可吹毛得过；第三，杀人刀不留血。"

牛二听了，吆喝道："你敢剁铜钱吗？"杨志道："有何不敢？"牛二到旁边一家铺子里取了二十文钱，一摞儿都放在桥栏杆上，叫道："汉子，你若剁得开，我给你三千贯。"这时，看的人虽不敢近前，也都在远处围住。杨志卷起衣袖，拿刀在手，只一刀，就将那一摞铜钱都剁成两半。众人都高声喝彩。牛二也有些目瞪口呆，但还是喝道："喝什么鸟彩？你且说第二件好处是什么？"杨志道："这'吹毛得过'就是把几根头发望刀口上一吹，齐齐都断掉。"牛二不信，就在自己头上拔了一把头发，递给杨志，让杨志演示。杨志接过头发，尽力照刀口上一吹，那头发果然都断为两段，纷纷飘下来。众人又齐声喝彩，看的人越来越多了。

牛二仍是不服，又问："那第三件好处是怎么回事？"杨志道："杀人刀上不留血痕，是叫一个快。"牛二这回更来了劲头，说道："你剁一个人给我看看。"杨志道："你不买就算了，胡来缠人做什么？"牛二还是揪住杨志不放，道："你敢杀我吗？"杨志有些恼了，道："我跟你无冤无仇，杀你干什么？洒家不是你随意撩拨的。"

牛二在街上撒泼惯了，不识得杨志的厉害，仍揪住杨

杨志杀了牛二去投案自首，开封府尹最终判他刺配大名府。

志道："我偏要买你这口刀。"杨志道："你要买刀，拿钱来。"牛二道："我没钱，只要这刀。你有种，就来剁我。"说着，就要来抢。杨志大怒，把牛二推了一跤，牛二爬起来，就往杨志怀里钻。杨志叫道："众位街坊邻居，都在此做个见证：这个泼皮只来胡搅蛮缠，要抢洒家的刀，还要打人。"众人都怕牛二，无人敢上来解劝。牛二挺起脖子道："你说我打你，就是打死你又能怎样？"说着，便挥起右手一拳打过来。杨志闪身躲过，一时火往上撞，拿起刀朝牛二脖子上搠过去，牛二扑倒在地，死在街上。

　　杨志杀了牛二，便请街上众人跟他一起到开封府自首。开封府尹得知情况，怜惜杨志是条汉子，又念他为东京街头除了一害，便有意开脱杨志。加上众人皆为杨志求情，牛二家又没人来告，府尹最终断杨志二十脊杖，刺配到北京大名府留守司充军。

留守司：指由留守官员执掌的官府。留守：皇帝离开京城，命大臣驻守，叫做留守。平时在陪都也有大臣留守。

灯笼

　　灯笼是悬挂起来或提在手中的照明用具，多用细竹篾或铁丝做骨架，糊上纱或纸做成，里边点上蜡烛。灯笼在古代主要用于照明，也作为节日庆典用品。现在多用电灯照明，灯笼基本成为一种装饰品。

　　晁盖认刘唐为外甥，假意拿棍子打刘唐。

第八章

七好汉聚义谋劫富

　　话说杨志刺配到北京大名府，留守梁中书是当朝蔡太师的女婿，知他是将门之后，十分喜爱，让他校场比武，大显身手，提拔他做了个提辖。自此杨志便在梁中书府中安下身来，此事暂且不提。

　　且说山东济州郓城县东溪村上有一位远近闻名的好汉，姓晁名盖，是村里的保正，也是当地的富户，平生只爱仗义疏财，结交天下的好汉，深受江湖人敬服，人送绰号托塔天王。

　　一日，天还未亮，县里的都头雷横带了一帮差役，押了一条汉子来到晁盖庄上歇息。晁盖接待了，听说抓

了一个贼，便趁雷横等人去喝酒之际，去看那捉拿的贼是谁。他提着灯笼来到门房，见一个黑汉子吊在那里，紫黑脸膛，鬓边有一块朱砂记。晁盖见不是本地人，问那汉子是哪里人氏。那汉子道："我是远方来的，要投奔这里的好汉晁保正，想送他一套富贵，没想到却被这伙人拿我当贼捉了。"晁盖一听，道："我就是晁保正，既是如此，你认我做娘舅，我救你脱身。"

刘唐正与雷横打斗，吴用跳出来将二人隔开。

两人商议好了，待雷横等人过来，那汉子就直呼晁盖："阿舅救命。"晁盖假意看他一眼，道："这不是小三吗？"随后，拿起棍子打那汉子，骂他不争气，雷横等人见是晁盖的外甥，也就把那汉子放了。

晁盖送了雷横十两银子作为谢礼，打发众人出庄。然后，晁盖领那汉子来到后堂，细问姓名，汉子道："我姓刘名唐，是东潞州人氏，人唤赤发鬼。我打听到大名府梁中书聚敛了十万贯金珠宝贝，准备送给蔡太师做生辰贺礼。小弟想这是不义之财，我们去半路上夺了，也不算是罪过。不知哥哥意下如何？"晁盖听了道："此事若干得成，确是件豪杰之事，咱们得从长计议。你一路上定吃了不少辛苦，先去歇息歇息吧。"

刘唐来到客房，想自己平白被雷横吊了一夜，越想越恼，随即拿了朴刀去赶雷横。他追上雷横，二话不说，就打了起来。两人斗了五十回合，不分胜负。旁边闪出一人来，叫道："两位好汉不要斗了。"用两条铜链把两人隔开。此人一身秀才打扮，长得眉清目秀，是当地的

保正：宋王安石推行保甲法，规定五百家设都保正一人，副都保正一人，下有大保长、保长，分别掌管户口治安、培训壮勇等事。后世沿其法，泛称保长等为保正。

渔民打鱼图

宋代的渔民和农民一样，生活比较困苦。到北宋末年，梁山泊周围的渔民同农民一起曾进行过无数次的反抗官府压迫和剥削的武装斗争，宋江、晁盖起义便是其中的一例。

教书先生，名叫吴用，表字学究，十分足智多谋，人唤智多星。

吴用与晁盖相交甚厚，听雷横说刘唐是晁盖外甥，知道有些蹊跷，便劝刘唐不要打了。无奈刘唐正在气头上，非要和雷横厮打，吴用怎么也劝不开。幸好晁盖赶来了，才解开这场争闹。

晁盖携吴用、刘唐重回庄上，拉二人进后堂深处坐定。吴用问晁盖："这位好汉是谁？"晁盖将刘唐的身份和来意一一说了。吴用笑道："我见刘兄赶来的蹊跷，也猜到八九分了。这一桩富贵，小弟也晓得，只是仅凭我们三人，恐怕弄不下来，必须得有七八个好汉，方才做得。"晁盖道："只是不知到哪里再寻扶助的人来？"吴用低头寻思了一阵，说道："我想起三个人来，这三人是亲兄弟，在济州梁山泊边的石碣村住，平日靠打鱼为生。老大叫立地太岁阮小二，老二叫短命二郎阮小五，老三叫活阎罗阮小七，都是讲义气的好男子。若能得此三人，大事必成。"晁盖道："阮氏三兄弟我也有所耳闻，只是不曾相会，现在可派人请他们来商议。"吴用道："别人去请，他们定不肯来，必须我亲自去说他们入伙方可。"晁盖听了大喜。

第二天晌午，吴用便来到石碣村，他先找到阮小二，并未直说来意，只说自己要买十几条十四五斤重的金色鲤鱼。小二带吴用到湖里找来小五、小七，四人一起到酒店喝酒。

晁盖、吴用和刘唐三人商议如何劫取十万财宝。

吴用来到石碣村，智说三阮入伙。

阮氏兄弟常年在此打鱼，生活并不富足，三人都敬重吴用，与吴用在酒店里喝酒、叙旧，直闹到天黑。吴用见时候差不多了，又买了些酒菜，到阮小二家继续喝酒。席间，吴用又提起买鱼的事来，阮小二道："不瞒你说，石碣湖地方狭小，没有这样的大鱼，只有梁山泊那里有。可如今梁山泊上有王伦等人占山为王，他们在那里打家劫舍，我等不敢再到那里打鱼。"吴用道："那厮们倒是快活。"阮小五道："他们不怕天不怕地，也不怕官府，大块吃肉，大碗喝酒，我们兄弟三人空有一身本事，却不能学他。"阮小七道："人生一世，能像他们快活一日也好。"

吴用听了暗笑，说道："既是如此，何不前去撞筹？"小二道："我们也曾想去入伙，只是听闻那王伦心胸狭窄，容不得人，我们兄弟心里也就懒了。"阮小七道："若能得个像哥哥这样看重我们的，我们兄弟替他死也甘心了。"吴用听明白三人口气，见他们是真心想

撞筹：撞击酒筹，意同干杯，引申为一起入伙落草。

公孙胜一边打人，一边说道：
"不识好人。"

道教祖师

道教是我国宗教之一，在东汉时就已形成，主张清静无为，反对斗争，以追求长生不老、得道成仙为宗旨。后来道教教徒为提高本教地位，尊春秋时思想家老子为本教祖师。到宋代时，道教得到统治者的大力推崇，其宗教和教徒的地位都空前提高。图为老子的骑牛青铜像。

干大事，方才说明真实来意。三兄弟早就听过晁盖的大名，一听是晁盖来请他们，都大喜过望。小五和小七都拍着脖项道："这腔热血，都卖与识货的。"

次日天晚时分，吴用带阮家兄弟来到晁家庄，早见晁盖和刘唐在庄前槐树下等候。六人相见，分外欢喜。彼此叙过礼，进得庄里坐下，阮氏兄弟见晁盖人物轩昂，语言洒落，更是甘心听他差遣。

第二天天明，晁盖在后堂列了香花、灯烛等物，众人个个在堂前向神明发誓，以表共干大事的真心。

六好汉发过誓言，便在后堂饮酒。不一会儿，一个庄客来报道："门前一个道人要见保正化斋。"晁盖道："你好不晓事。我在这里招待客人，你给他三五升米就是了，何须来问我？"庄客道："小人给他米，他又不要，只要面见保正。"晁盖道："一定是嫌少了，你再给他两三斗，就说我今日在庄上请人喝酒，没工夫见他。"庄客去了多时，又回来报说那道人不为钱米，只要见保正一面。晁盖有些不耐烦，责怪庄客不会办事，又让庄客多给几升米，打发那道人走。庄客去了不久，只见又一个庄客飞跑来道："那道人发怒，把十几个人都打了。"晁盖听了，吃了一惊，这才起身出去察看。

晁盖来到庄前，只见那个道人身高八尺，道貌堂堂，生得古怪，正在槐树下打人，一边打，一边说道：

"不识好人。"

晁盖高声叫道："先生息怒，你来寻晁保正，无非是为化缘而来，何故嗔怪如此？"那道人大笑道："贫道不为酒食钱米，却闻得有十万贯金钱，特来寻保正商议。不料村夫无理，辱骂贫道，故才发作。"晁盖一听，忙说自己就是晁盖，请那道人走入后堂来。

化斋：指僧道挨门乞讨饭食。

此时，吴用、刘唐并三阮已躲到别处。晁盖问那先生是何名姓，先生道："贫道是蓟州人氏，复姓公孙，单名胜，道号一清先生。自幼好习枪棒，因学得一家道术，亦能呼风唤雨，驾雾腾云，故江湖上人称入云龙。贫道久闻保正大名，只是无缘相见，现听说有十万贯金珠宝贝，特来送与保正，做进见之礼。不知保正敢不敢收？"晁盖道："先生说的可是梁中书进献给蔡太师的生辰贺礼吗？"

公孙胜听了，先自吃了一惊。这时，一个人从堂外闯进来，揪住公孙胜道："好呀，明有王法，你竟敢商量这种勾当！"吓得公孙胜面如土色。晁盖一看，原来却是吴用，忙笑道："先生休慌，这是智多星吴学究。"吴用与公孙胜又重新见礼。晁盖又请出刘唐与阮氏三兄弟，七人都在后堂深处相见了。众人共同推举晁盖做大哥，吴用第二，公孙胜第三，刘唐第四，阮氏兄弟排在后面。七人排好座次，重新整治杯盘，再度饮酒。

至此，共有七位好汉聚在东溪村上，共同谋划劫取十万金珠之事。

公孙胜正与晁盖说话，吴用闯进来，一把揪住他。

| 第九章 |
吴学究智取生辰纲

梁中书把杨志叫来，把押送生辰纲的任务交给他。

金项链

这挂项链由14个球形链珠组成，是一件昂贵的珠宝。古代金银一向是被统治阶级大量占有，他们通常把金银打造成精致的饰品或生活用品，显示富贵。珠宝首饰也自然被当成礼物互相赠送。

晁盖、吴用等七人聚集在东溪村上，公孙胜已探听到财宝从黄泥冈大路上运来。晁盖问道："我等是软取，还是硬夺？"吴用道："我已安排好了圈套，只看他来的光景，硬则硬取，智则智取。只需如此如此……"晁盖等听了大喜。此事暂且不提。

且说大名府内梁中书已准备好了十万金珠，只愁无人押送。他把这每年给蔡太师庆生辰之礼唤做生辰纲，去年的生辰纲在半路上被人劫去，所以今年他要选一个得力心腹去办此事。经夫人提醒，梁中书想起新近提拔的提辖杨志，遂把杨志叫到跟前，道："你若能替我把生辰纲送到东京，我自不会亏待了你。"杨志道："恩相差遣，不敢不从，不知是怎样打点？"梁中书道："将财宝装在十辆太平车子上，派十个军士监押，每辆车上插一把黄旗，上写：'献贺太师生辰纲。'打点好即可起身。"杨志道："若是这般，小人不敢去。如今途中盗贼颇多，明写了是财宝，怎会无人来抢？不若把礼物装做十余条担子，让十余个军士扮做脚夫挑上，小人扮成行路的客商，连夜悄悄地赶去东京。"梁中书一听大喜，果然杨志有见识，遂依了他的意思。

第二天，梁中书便催促杨志起程，吩咐一干人等皆听杨志指挥。杨志和一个老都管都扮做客商，两个虞候扮做随从，其余军士都是脚夫打扮，于次日五更，挑上礼物上东京去了。

时值五月中旬，正是酷热天气，杨志一行人离北京五六日后，渐渐进了山路。为防备盗贼，杨志吩咐每天天大亮时才行路，未到傍晚时就停歇。这段时间正是一天中最热的时候，军士们挑着重担，打熬不住，见了林子就要歇息。杨志催着赶路，见有歇的，轻则痛骂，重则拿藤条去打。众人都渐渐对杨志不满。那两个虞候背着行李，落在后面，杨志上去骂了几句，两人口里未说，心里十分不服，到老都管面前搬舌弄嘴。那些军士被杨志催赶得厉害，更是各自嘟囔埋怨。行了半个多月，没有一个人不恨杨志，连老都管听得闲话多了，心里也有几分着恼。

这一天，正是六月初四，未到晌午，太阳就像个火球一样烤着大地。当日行的都是崎岖山路，走了有二十多

都管：大户人家的管家，地位在主人之下，众仆人之上。

杨志催着赶路，见有歇的，轻则痛骂，重则拿藤条去打。

松树

松树为常绿乔木，有少数为灌木。树皮多为鳞片状，叶针形，果球形，种子叫松籽，可以食用。松树常年青绿，在炎热的夏季，最可遮阴避凉。

里的路程，军士们又想到柳阴下歇凉，杨志又拿藤条来赶。看看日当正午，石头都被晒得烫脚，众人道："这般热天气，真要晒死人了。"杨志喝道："快走，赶到前面冈子上去再说。"

前面正是一片土冈，上面乱石满地，长满绿树茅草。众人一齐奔上冈子来，都纷纷撂下担子，跑到松树阴下躺倒了。杨志道："这是什么地方，你们竟都在这里歇凉，赶快起来。"众军士道："你就是把我剁成七八段，我也不动了。"杨志气得拿起藤条，劈头盖脑地打去，可是打了这个，又躺倒了那个，杨志一时也无可奈何。那老都管见杨志打众军士，劝道："提辖，实在是热得走不了了，不要怪他们。"杨志道："这里是黄泥冈，正是强人出没的地方，如何敢在这里歇脚？"

两个虞候道："这话你都说过好几遍了，只管来吓人。"老都管自坐在那里歇息，不理杨志。

杨志又拿起藤条喝道："有一个不走的，吃我二十棍。"众人都叫嚷起来。其中一个道："提辖，我们挑着百十斤重的担子，比不得你空手走，你也太不拿人当人！即使留守相公亲自来监押，也不会这样不知痛痒顾惜。"杨志大怒，拿起藤条便打。那老都管见了十分不满，与杨志争执起来。

众人正在吵嚷，忽见对面松林里藏着一个人，在那里探头探脑。杨志道："俺说什么，那不是歹人来了？"说

众军士纷纷扔了担子，到松树下歇凉，杨志也没了办法。

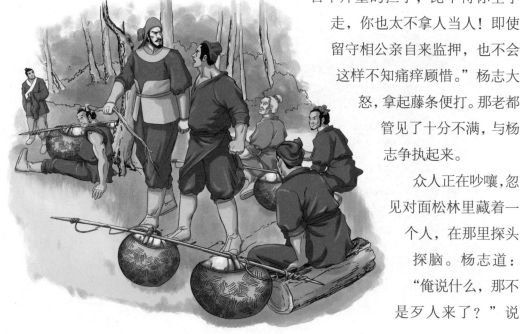

着，扔了藤条，拿起朴刀，便赶入松林里。

杨志赶过来看时，只见这边松林里摆着
七辆小货车，七个汉子赤条条地躺在那里乘
凉，其中一个鬓边有一块朱砂记。杨志喝道：
"你们是什么人，莫不是歹人？"那七人道：
"你是什么人，我等还以为你是歹人。"
杨志道："你等先说是哪里来的？"那
七人道："我兄弟是从濠州贩枣子到
东京去的客人，途经这里，听说这黄
泥冈上常有盗贼打劫客商，所以刚才
派一个兄弟去打探。"杨志一听只是客
商，便放心回去。

一个汉子挑酒上来，众军士
都围上去。

众军士见杨志回来，老都管道："既是有贼，我们
赶快走吧。"杨志道："俺以为是歹人，原来只是几个贩
枣子的客人。"众人听了，都笑杨志大惊小怪。杨志见
众人都不走，也到一边去歇息。

没过一会儿，只见一个汉子挑着一副担桶，远远地
唱着山歌走来。那汉子走上土冈，也在松林里放下担子
乘凉。众军士见了，问那汉子："你桶里是什么东西？"
汉子应道："是白酒。"众人正渴得要命，一听是酒，都
来了精神。问道："多少钱一桶，挑往哪里去？"汉子
回道："五贯一桶，挑到前面村子里去卖。"众人商议：
"我们又渴又热，不如买些喝，解解暑气。"众人正在凑
钱，杨志过来喝道："你们又做什么，竟敢胡乱买酒喝，
全不知道路途艰难，有多少好汉，都被蒙汗药麻翻了。"
那挑酒的汉子一听不乐意了，冷笑道："你这人好不晓
事，我不卖给你便罢了，竟说出这种没劲的话来。"

正在说时，对面松林里那几个贩枣子的客商走过
来，问是怎么回事。那汉子道："我挑酒上冈，他们要
买酒喝，我还不曾卖，那位客官却说我这酒里有蒙汗

手推独轮车

这是古代的一种陆上交通工
具，独轮，双辕，完全靠人力推行。
这种车发明于东汉末年，在以后
的历朝历代中都广泛使用，用于
装载货物或载人，甚至至今依然
在我国部分农村和山区使用。

药，你说可笑不可笑？"那七人道："既是这样，我们也渴了，不怕有蒙汗药，你卖一桶给我。"那汉子却不肯卖。那七人道："你这鸟汉子，我们又不曾说你。你到村里也是卖，我们又不少你酒钱，又解了我们的渴，为何不卖？"

一个贩枣子的在酒桶里舀了一瓢酒就跑，卖酒的汉子去追，另一个贩枣子的也跑来舀酒。

那汉子道："卖一桶给你也没什么，只是被他们说得心里不痛快，又没有碗瓢给你们舀着喝。"那七人道："你这汉子瞎认真，我们自有椰瓢在车上，不用你操心。"说着，便有两个人到自家车上，取了两个椰瓢，捧一把枣子过来。七个人站在桶边，就着枣子，轮流拿椰瓢舀酒喝。这边众军士看了，更觉燥渴难耐。

不一会儿，一桶酒就喝完了。七人道："酒喝过了，还不曾问价钱。"那汉子道："五贯一桶，不还价。"那七人道："五贯便五贯，再多给我们一瓢喝。"那汉子不答应。其中一人正给酒钱，另有一人却自己打开桶盖，舀了一瓢酒就喝，那汉子去夺时，舀酒的人已喝了半瓢，往松林跑去，那汉子赶过去追。这时，七人中又有一个过来，拿着椰瓢又在桶里舀了一瓢酒，那汉子看见，赶过来劈手夺了，把酒倒回桶里，说道："你们这帮客人好没君子相，看着像是有头有脸的，却这般啰唆。"

这边军士们见人家酒也喝了，渴也解了，都馋得心里痒痒，央求杨志答应买酒。杨志心想：那贩枣子的已买一桶喝了，另一桶也喝了半瓢，想必酒是好的。便答应下来。众人一听，赶快凑钱买酒。那卖酒的汉子却坚决不肯卖，一个贩枣子的把卖酒汉子一推，提了那桶酒

红枣

枣是我国的一大干果，主要产于北方，是北方劳动人民的重要粮食。宋时施行桑枣各半的政策，广泛种植桑树和枣树，因此在当时枣树的种植面积大大增加。农家收获的枣子不但可以自己食用，更重要的是贩往外地，增加经济收入。

送给众军士。众人借了椰瓢，一瓢一瓢地喝起来。杨志本想不喝，无奈天实在太热，自己又口渴难耐，也就喝了半瓢。不一会儿，一桶酒就喝光了。那汉子收了钱，唱着山歌下冈去了。

这边贩枣子的七人站在松树旁边，指着杨志一干人等说道："倒，倒，倒。"只见杨志这十几个人个个都头重脚轻，全软倒在地上。那七人从松林里推出小车，把枣子倒了，将金珠宝贝都装在车上，遮盖好了，一直往黄泥冈下去了。

杨志等人眼看着这些人把财宝装走，却是起不来，挣不动，说不出。这七人不是别人，正是晁盖、吴用等七位好汉。那挑酒的汉子是曾受过晁盖恩惠的一个闲汉白胜。原来上冈时，两桶酒都是好酒。七个人喝了一桶，刘唐故意在另一桶里舀半瓢吃，是叫杨志等人放心。此后吴用来舀酒，早将药放在瓢里。瓢一下桶，药就散进酒里。吴用假意要喝，白胜再劈手夺来倒回去，这便是计策。这些都是吴用的主张，唤做智取生辰纲。

啰唣：吵闹，指用不安分的行为或啰嗦的言语给人添麻烦的意思。多见于早期白话。

杨志等人都软倒在地，眼睁睁地看着财宝被人劫走。

第十章
宋公明私放晁天王

何清在向何涛诉说晁盖等人
贩枣子之事。

马蹄金

这是一种底面呈圆形，内凹，中空，状如马蹄的黄金制品，属于货币模制。黄金是天然的货币，也是最具代表性的财富象征。到宋时，市面上一般不用黄金，多流通白银和铜钱，所以黄金的价值更显昂贵。

杨志酒醒后，自知无法回去见梁中书，思来想去，一跺脚，拿起朴刀，离了众军士，投身别处了。剩下的十几个人醒来后，见杨志走了，怕担罪责，一商议，便将事情都推到杨志身上，说杨志勾结强人，把财宝劫走了。

梁中书与蔡太师得知此事后，大为震怒，限济州府尹十日内捉拿抢劫财宝的贼人和逃犯杨志。府尹被逼无奈，又勒逼手下缉捕使臣何涛去查获此案，若何涛办不成时，要拿他从重治罪。

何涛领了命令，苦不堪言，几天来没有一点头绪，回到家里愁眉苦脸。这时，正逢他弟弟何清来看望哥哥，何清听说哥哥在为捉不到七个贩枣子的客商烦恼，遂说他知道些消息。

何涛赔着笑脸把兄弟请到跟前，问他底细。何清道："前日兄弟赌输了，到北门外十五里处一个客店给写文书，见有七个贩枣子的客商推着小车到店里歇息，其余的人我不认识，为首的那个是东溪村晁保正，我却认得。后来又见闲汉白胜挑了两个桶从店前经过。再后来就听说黄泥冈上有一伙贩枣子的客商，用蒙汗药麻翻了人，劫了生辰纲去。如此推来，那劫生辰纲的不是晁盖是谁？如今只需抓住白胜，一问便知详细。"

何涛听了大喜，随即带兄弟到州衙向府尹报告。府尹一一问明来历，立即派几个公差同何涛、何清连夜到北门外捉拿白胜。当时正是三更时分，何涛等人来到白胜家，叫开门，把白胜从床上拖出来，拿绳子绑了。何涛喝道："黄泥冈上做的好事！"白胜拒不肯认。众衙役绕屋寻赃，寻到床底下，见地面不平，挖不到三尺，就挖出一包金银来。何涛一见，立即让人押了白胜和他妻子，扛上赃物，连夜赶回济州府。

巳牌：即巳时，旧时计时法，指上午9点到11点的时间。

白胜被带到州衙大堂，起初抵赖，死不肯认，被打得皮开肉绽，鲜血迸流。府尹喝道："本官已知道为首的是郓城县东溪村的晁保正了，你如何抵赖得过？你只要招出那六人是谁，便不打你了。"白胜又挨了一阵打，实在熬不住，只得招认："为首的是晁保正，他同六人来让我挑酒，其实不认得那六人。"

府尹命将白胜押入死牢，发下公文，差何涛带二十多个公差到郓城县，让郓城县令捉拿晁盖等人。何涛等人星夜赶到郓城县，怕走漏了消息，何涛让众人先在一个客店里藏身，自己带两三个随从到郓城县衙来。当时正是巳牌时分，县令已退了早衙，衙门前静悄悄的。何

何涛带人在白胜家床下搜出一包金银来。

宋江从县衙里出来，何涛带人迎上去。

涛走到对面一个茶坊里坐下，问茶博士："不知今日县里当值的押司是谁？"茶博士用手一指道："您要找的人来了。"何涛回头一看，只见县里走出一个吏员来。

此人生得面黑身矮，有三旬年纪，却是唇方口正，志气轩昂。他是郓城县宋家村人，姓宋名江，因长得黑，人都叫他黑宋江。宋江正是县里的押司，刀笔精通，吏道纯熟，更喜欢习枪弄棒，学得多般武艺。宋江平生也爱结交江湖上好汉，凡是来投靠他的，皆给以资助，最爱与人方便，救人之急，为人排忧解难。山东、河北一带无人不知他大名，又都称他为及时雨，把他比做天上下的及时雨一样，能救万物。

何涛见宋江从县里走出来，便当街迎上去，叫道："押司留步，请到此间喝茶。"宋江见是一个公人，慌忙答礼。两人来到茶坊坐下。何涛道："在下是济州府缉捕使臣何涛，不知押司高姓大名？"宋江道："小吏宋江的便是。"何涛一听，立即拜倒道："久闻大名，只是无缘相见。"宋江连忙请何涛起来。两人重新坐定，何涛道："黄泥冈上有一伙贼人，用蒙汗药麻翻了押送生辰纲的军士，劫去了十万贯金珠宝贝。如今只捕得一名从犯白胜，指说七名正贼都在贵县，故府尹派小吏来办这件公事，还望押司多多维持。"宋江道："应当效劳，只是不知那七人是谁？"何涛道："只知为首的是东溪村晁保正，其余六人尚不知姓名，还烦请押司用心。"

宋江听了，大吃一惊，心下寻思道：晁盖是我的好

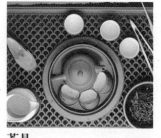

茶具

中国人自唐代开始盛行饮茶，到宋时，茶具更加讲究。一般配套的茶具有茶焙、茶笼、砧碓、茶盏、茶托、汤瓶（盛热水的壶）等，制作精良，设备齐全。宋代的茶制成糕饼状，饮前碾成细末，放入茶盏中，用热水一冲即可饮用。

兄弟。他犯了这等弥天大罪，我不救他，若被捕去了，岂不丢了性命？宋江心里发慌，嘴里却应道："晁盖那厮，奸顽成性，县里人没有一个不怪他。这回做出这番事来，好叫他生受。"何涛又拜请宋江帮忙。

宋江道："这事容易，只是文书要使臣大人自己带给知县看了才好，此事非同小可，不可泄露了消息。现在知县刚罢了早衙，正在歇息。一会儿知县坐堂时，我即来请您。"何涛道："万望押司成全。"

押司：州府或县衙里负责整理案卷或书写文书的小吏。

宋江稳住何涛，先出了茶坊，吩咐随从在茶坊前伺候："若是知县坐衙，你去茶坊安抚那公人，让他略等一等。"随后自己上马，先是慢慢地离开县城，待出得东门时，宋江便快马加鞭，直往东溪村赶去。

且说晁盖正和吴用、公孙胜、刘唐在后园喝酒，此时阮氏兄弟已经得了钱财，回石碣村去了。听说宋江来到，晁盖忙把他迎进侧边小房里。宋江急切道："哥哥是心腹兄弟，我舍着这条命来救你。如今黄泥冈事发了，白胜已经被拿进济州大牢里，供出你等七人。济州府派一个叫何涛的带着若干人来捉捕你们。天幸被我撞上，我先把那何涛稳在县对面的茶坊里，特地飞马来给你报信。如今'三十六计，走为上策'。若不快走，更待何时？"

晁盖听了，吃了一惊道："贤弟大恩难报！"宋江道："哥哥不要多说，只管安排走路就是了。"晁盖道："七个人，三个是阮

宋江快马加鞭，赶往东溪村给晁盖报信。

银质槎型酒杯

此酒杯做成树杈的形态，树下有一老翁，杯身很小，器底有绝妙的仿水波花纹，波纹由急促至缓慢延到树顶，树杈状的器足正好顺应了这个酒杯的形态。整个酒杯可谓制作精良，是一件传奇的艺术品。

氏兄弟，已经回石碣村去了，还有三个在我这里，贤弟先去见他们一面。"宋江来到后园，晁盖指着吴用、公孙胜和刘唐三人一一做了简短介绍，宋江略施一礼，嘱咐道："哥哥保重，急速快走，兄弟回去了。"说完，出了庄门，飞身上马，赶回县里去了。

宋江走后，吴用问晁盖："刚才那位慌慌忙忙地去了，到底是什么人？"晁盖道："他就是本县押司宋江，若不是他来，我们的性命就要难保了。"随即将何涛将来捕捉他们之事说了。吴用三人也都听过"及时雨"的大名，心里都对宋江存上十万分的感激。

晁盖问吴用："现在事情危急，我们该怎么办？"吴用道："'三十六计，走为上策'。如今我们只要收拾六七担东西，投奔到石碣村三阮家里去。"晁盖道："阮氏兄弟不过是打鱼人家，如何能安得下我们这么多人？"吴用道："兄长好不精细。石碣村附近便是梁山泊，如今山寨里十分兴旺，官军不敢正眼瞧他，我们

吴用与晁盖等商议先躲到石碣村去。

正好去入了伙。我等又有的是金银，送些给他们，不怕他们不收留我们。"晁盖点头同意。

计议商定了，晁盖即刻吩咐庄客收拾行李，让吴用和刘唐先担了五六担金银赶去石碣村，自己和公孙胜留在庄上押后。

再说宋江赶回县里，见了何涛，领他去见知县，知县看了文书，即刻派人去捉拿晁盖。宋江道："白天去，恐怕走漏了消息，只可差人夜里去捉。"知县点头，当晚两个都头领了知县命令，赶往东溪村捉人。

晁盖与公孙胜带领庄客逃出东溪村。

这两个都头一个是朱仝，一个是雷横，却是都与晁盖有交情，都有心放晁盖走。两人带了一班士兵、差役来到东溪村，雷横打前门，朱仝打后门，各自把声势造得震天响，是有意催晁盖快走。

朱仝来到后门时，晁盖还未收拾完毕。朱仝只在黑影里大叫，晁盖让庄客四处放火，然后与公孙胜带着数十个庄客从后门杀出来。晁盖一边冲，一边舞刀大喊："挡吾者死，避吾者生！"朱仝只虚晃一下，闪出一条路，让晁盖过去。晁盖却让公孙胜带庄客们先走，自己独自押后。朱仝撇了士兵，独自赶上晁盖道："保正此去不可投奔别处，只能去梁山泊上安身。"晁盖谢了朱仝大恩，一路去了。雷横在前门忙了半天，知道晁盖被朱仝放走了，也就作罢。众士兵又去虚赶了一回，回来都道："夜里太黑，不知往哪条路上去了。"朱仝、雷横便带着众人空手回衙。

而晁盖一路快走，早已与公孙胜会合，半路上三阮兄弟接着，众人都安顿在石碣湖里。

朴刀

朴刀是大刀的一种，是一种木柄上安有长而宽的钢刀的兵器。使用时，两手握住刀柄，利用刀刃和刀本身的重量来劈杀敌人。朴刀出现于宋代，到了清末前后，才被广泛使用。

第十一章
梁山泊义士尊晁盖

北宋战船复原图

宋代造船业非常发达，其造船术已居于世界领先地位。当时的战船一般船体巍峨高大，结构坚固合理，行船工具更趋于完善。大的战船上多樯橹和风帆，又都设有小船，以便遇到紧急情况可以救生、抢险。

"阮小五大笑骂道：'你这等贼官，竟敢来捉老爷，倒是来捋虎须！'"

郓城县令见走了晁盖，派人捉来几个未走的庄客，拷问出晁盖逃往石碣村。县令将供状交给何涛，何涛回去禀报济州府尹，府尹又拷问了白胜，得知七人的确切姓名，遂派何涛去石碣村拿人。

此时，晁盖与吴用等人正在阮小五家商议投奔梁山泊一事，忽听几个打鱼的来报何涛带领大队人马赶来了。阮小二道："我自来对付他们。"晁盖遂吩咐刘唐、吴用把财宝和阮家老小转移到安全地带，阮小二吩咐小五、小七如此如此，让他们各驾小船去了。

且说何涛等人来到石碣村，拿了附近几个渔户，冲进阮小二家，见家里空无一人，又都坐船往湖里阮小五的打鱼庄上来。众人行了五六里水路，只听芦苇间有人唱歌，见一人独驾着小船过来，有人认得正是阮小五。

众官兵各持器械，开船迎上去。阮小五大笑骂道："你这等贼官，竟敢来捉老爷，倒是来捋虎须！"何涛背后众弓箭手一齐放箭，阮小五扔了竹篙，一个筋斗钻下水去。众人赶过去，扑了个空。

何涛带众官兵又行了不久，忽听芦花荡

里有人打唿哨，众人把船摆开，见前面又划过一条船来，船头上立着一个人，手里拿着枪，唱着歌，又有认得的道："这个正是阮小七。"何涛喝道："大家给我一起上，先拿住这个贼。"阮小七听了，笑道："泼贼！"把枪往水里一点，那船就掉过头来，飞也似的向小港里去了。

何涛被阮小七倒拖上岸来，拿绳子绑了。

众官兵赶来赶去赶不上，一会儿便不见了阮小七的踪影，那水道却越来越狭窄了。何涛忙叫人把船停住，只见四周白茫茫一片芦苇，不见一条旱路。何涛命两三个公差划小船前去探路。去了多时，不见回来，何涛心里着恼，又派了两条小船出去。又过了一个多时辰，仍不见回报。眼看天要黑了，何涛心里着急，自己拣一条小船，选几个公差，各拿兵器，向芦苇港里划去。此时日已西沉，大约行了五六里水路，侧边岸上一个人提着锄头走过来，何涛问道："那汉子，你是什么人，可曾见过两只船过来吗？"那人应道："我是这里的村民，这里叫断头沟，前面没路了。"何涛一听，忙让靠岸，两个公差上得岸去。那汉子却走过来，提起锄头，一锄一个，把两人都打下水去。

何涛吃了一惊，正想跳上岸去，水底却又钻出一个人来，扯住何涛两只脚，扑通一声拽进水里。何涛在水里挣扎不得，被倒拖上岸来，拿绳子捆了。水底这人是阮小七，拿锄头的便是阮小二。

兄弟两人将何涛骂了一通，捆成个粽子，扔进船舱里，各驾小船出来。这边水道口的众兵还在等候何涛消息，却被晁盖、公孙胜等人赶来，杀了个干净。阮小二

宋铁弯锄

锄头是用来松土和除草的农具。此锄头用铁打造而成，柄中部弯曲，末端装锄头处又有反方向的大弯曲。这和锄头用起来比较省力，北宋时已在中原和华北广大地区普遍使用。

鸳鸯莲瓣纹金碗

金碗高5.6厘米，重392克。碗外腹部錾刻有两层仰莲，每层十瓣，瓣内分饰有动物和忍冬花，并以细密的鱼子纹为地。此碗做工精细，是贵族家用的器具。

又将何涛提出来，小七削了他两只耳朵，留他回去报信。

晁盖等人胜了这一仗，收拾好行李都到石碣村下的李家道口投奔朱贵，这朱贵是梁山泊的第五位好汉，人唤旱地忽律，专在梁山下接纳各方豪杰。

朱贵见了晁盖等人，第二天，便带众人上了梁山。王伦带一班头领出关迎接，晁盖等上前施礼，王伦回礼道："小可久闻晁天王大名，如雷贯耳。今日光临小寨，蓬荜生辉。"随即把晁盖等人请到聚义厅，摆下丰盛筵席。席间，晁盖将自己这干人等抢夺生辰纲、杀了众多官兵、阮氏兄弟如何豪杰等事都一一说了。王伦听罢，骇然了半天，心里踌躇沉吟，只在面上虚应晁盖。席散后，王伦送晁盖等人到山下客馆内安歇，自回去不提。

且说晁盖未看出王伦脸色，只顾心里欢喜。吴用冷笑道："兄长性直，他哪里肯收留我们？兄长说杀了许多官兵时节，他就变了脸色。只有林冲那人，倒有顾盼我等之心。"晁盖道："如此该怎么办？"吴用道："待我说些言语，让他们本寨火并。"

第二天一早，林冲来客馆拜访，七人慌忙迎接，吴

晁盖等人上了梁山泊，王伦摆下筵席款待。

用上前称谢道："多蒙头领恩赐，感激不尽。"林冲道："小可失敬。小可在东京时，与朋友礼节，不曾有误。昨日虽得见众位尊颜，但不遂平生之愿，故今日特来赔话。"晁盖再次道谢。吴用道："教头由柴大官

林冲心中不平，来客馆拜访晁盖等人。

人举荐上山，又武艺高强，该坐第一把交椅才是。"林冲道："小可在此去留无门，不为位次低微，只为王伦心胸狭窄，嫉贤妒能，难以相聚。昨日他闻众兄长杀死官兵一节，便心下不然，有不肯相留之意。"吴用道："既是如此，我等只好投往别处了。"林冲道："众位不要见外。小可正是怕众豪杰离去，所以特来提前说知。今日看那厮如何相待，若是有理，便都作罢。若是无理，尽在林冲身上。"说完，别了众人，上山去了。

不一会儿，有小喽啰奉王伦之命，来请众人上山一聚。晁盖问吴用："这一回倒会怎样？"吴用对晁盖笑道："兄长放心，此一回倒有份做山寨之主。我们各藏好暗器，上山就是了。"

晁盖等人上山后，王伦请众人到水亭子上喝酒。席间，晁盖几次提起入伙之事，王伦只是用闲话支开。吴用不时眼望林冲，见林冲把眼瞅在王伦身上。酒至中午，王伦让小喽啰拿出五锭大银来，推说山寨粮少房稀，请晁盖等人下山。林冲双眉倒立，大喝道："前番我上山来，你也是推说粮少房稀。今日晁兄等上山寨来，你又是这般说辞，是何道理？"吴用上来煽风点火

旱地忽律：即陆地上的鳄鱼。忽律是鳄鱼的意思。

林冲掣刀在手，杀死王伦。

银元宝

银元宝即银锭。银子是唐、宋、元、明等各个朝代通用的货币，官府通常将银子打成银锭，以便于流通，有五两一锭，也有十两一锭，大小不等。

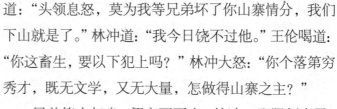

道："头领息怒，莫为我等兄弟坏了你山寨情分，我们下山就是了。"林冲道："我今日饶不过他。"王伦喝道："你这畜生，要以下犯上吗？"林冲大怒："你个落第穷秀才，既无文学，又无大量，怎做得山寨之主？"

晁盖等人起身，假意要下山。林冲一脚踢倒桌子，从衣襟里抽出一把明晃晃的大刀来。晁盖、刘唐虚拦住王伦，公孙胜假意相劝，阮氏兄弟拉住了杜迁、宋万和朱贵三人。林冲拿住王伦，骂道："你这嫉贤妒能的泼贼，不杀了你，要你何用？"只心窝里一刀，就将王伦搠倒在亭子上。王伦有几个心腹，本想上来拦阻，见林冲这般势猛，都不敢上前。可怜王伦做了数年寨主，就这样死在林冲手里。

晁盖见杀了王伦，与吴用等人都抽出兵器。林冲又将王伦的首级割下来，提在手里。杜迁、宋万、朱贵三人见状，吓得都跪倒在地，道："愿为哥哥执鞭坠镫，做牛做马。"晁盖忙扶起他们。

吴用拉过头把交椅，虚意让林冲坐。林冲高声道："我今日只为豪杰义气，杀了王伦这贼，并无心谋求此位。晁兄仗义疏财，天下无不闻名，应为我们山寨之主。"说着，就将晁盖推到交椅上。晁盖极力推辞，林冲按住不放，喝叫众人都参拜了。

林冲又让小喽啰们大摆筵席，让山上众多小头目，都到聚义大厅。众人扶晁盖在正中第一把交椅上坐定，林冲首先上前参拜，并请吴用坐第二位，吴用推辞了一回，也就坐了。林冲又请公孙胜坐了第三位。他再要往下推让时，晁盖等坚决不肯，林冲只好又坐了第四位。接下来刘唐坐了第五位，阮氏三兄弟是第六、第七、第八，杜迁排在第九、宋万第十、朱贵第十一。

至此，梁山泊上共十一位好汉，山前山后共七八百人。晁盖吩咐将带来的财宝拿出来，分给众小喽啰。众人在山寨上一连摆了几日筵席，此等聚义，正是义气相投，各自欢喜。

黄花梨圆后背交椅

交椅源于少数民族的胡床，是一种靠背和交床的结合体。其结构是前后两腿交叉，可以折合，上面安一栲栳圈儿。其中圆后背交椅是显示身份特殊的坐具，多设在中堂显著位置，有凌驾四座之势。

众人推举晁盖坐了梁山泊头把交椅。

第十二章
宋江怒杀阎婆惜

宋江纳了阎婆惜，将婆惜母女安置在一所小楼里。

晁盖自做了梁山泊寨主，与吴用等人整顿刀马，修整山寨，击败了济州府派来攻打山寨的一千多人马，杀死官兵无数，活捉了团练使黄安。梁山泊上日渐兴旺，金银充足，庆功会上，晁盖对吴用等人道："我们兄弟能逃得性命，得有今日，皆出自宋押司和朱、雷两都头相救，应派人送些金银去，以报大恩。再有白胜现在济州大牢里，我们也该把他救出来。"吴用点头称是，便去安排。

暂不说白胜后来被救到梁山，且说宋江这日正在街上走路，被做媒的王婆叫住。王婆领了一个姓阎的婆子，说这婆子是外地人，死了丈夫，无钱下葬，请宋江帮忙。宋江是帮人惯了的，随即给了阎婆些银两，阎婆得以为丈夫料理完后事。阎婆见宋江没有妻室，便让王婆做媒，执意将女儿婆惜许配给宋江。

宋江开始不同意，无奈王婆一张巧嘴，说得天花乱坠，宋江也就答应了。这阎婆惜正值芳龄十八，生得风流俊俏，颇有几分姿色。宋江将婆惜母女安置在县里西巷内的一所楼房里，初时宋江天天到婆惜那里，两人感情还好。但因宋江不爱女色，后来渐渐去得少了。婆惜对宋江不满，勾搭上与宋江共事的押司张文远，两人打得火热，将宋江撇在一边。宋江也听到些风声，因不是正经娶的妻室，并未十分放在心上，只是更不愿到婆惜

金锭

金子是最贵重的金属，也是天然的货币。古时将黄金打造成金锭的形式，用以货币流通。此金锭呈束腰状，两端上翘，下面中部微微凹陷，从金锭的成色和上面的字样上看，应属地方进贡给朝廷的库银。

那里去了。

一日，天色将晚，宋江从县里出来，到对面茶坊里喝茶，只见一个大汉头戴斗笠，身跨腰刀，背着一个大包，坐在茶坊里扭着脸直向县里张望。宋江觉得有些奇怪，见那大汉走出茶坊，也就跟了出去。这人不是别人，正是赤发鬼刘唐。刘唐认出宋江，将宋江拉到一个酒楼里，找个僻静房间坐了。刘唐解下包袱，倒地便拜，道出自己姓名，宋江这才认出是他，慌忙将他扶起道："贤弟好大胆，要是被公差发现，岂不是没命了？"刘唐道："晁家哥哥得蒙恩人相救，如今做了梁山头领。为谢大恩，他特使刘唐送黄金百两并一封书信，相谢押司。"宋江看了书信，取了一条金子与书信一起放进招文袋里，其余的坚不肯受。

刘唐再三请宋江收下金子，宋江道："你们初到山寨，正缺钱用。我家里颇有些积蓄，若缺少时，再到山寨去取。贤弟赶快回去，莫在此耽搁，若被公差发现，不是闹着玩的。"刘唐又苦苦请宋江收下，宋江仍是不要，就店里的笔砚，写了一封回信，让刘唐收好。刘唐是个直性子，见宋江如此推却，也就将金子包好，重新背在身上。宋江将刘唐送到楼下的大路上，让他快走，执手而别。刘唐又倒地拜了四拜，迈开步，连夜赶回梁山泊去。

宋江别了刘

白瓷砚

此砚台砚面平坦，周围有沟槽以供存水。宋朝是制作瓷砚的高潮时期，出现了白中泛青的瓷砚，这种砚极耐磨研，在色泽和形制方面均有独到之处。

团练使：唐时负责一方或一州军事的官职。地位低于节度使，等同于防御使。入宋以后，团练使成为没有实际职权的虚衔，专门授予武官或宗室。

刘唐奉命来谢宋江，倒地便拜。

凳子

凳子是没有靠背的坐具，但最初时"凳"只是一种踏具，汉代以后，它才渐渐发展成坐具。到唐宋时，凳子的样式开始多起来，有方凳、圆凳、条凳、高凳、矮凳等，皆被普遍使用。图为一方圆凳。

宋江正在一头走路，阎婆在背后叫住他。

唐，一面走，一面心里寻思：幸亏没被公差发现，不然又闹出一场大事来。刚转过两个弯，忽听背后有人叫了一声："押司，到哪里去？好长时间不见。"宋江回头一看，却是阎婆。原来阎婆见宋江几个月不去女儿婆惜那里，不好得罪了这位衣食父母，特地来寻宋江。阎婆道："押司多日不见，便是婆惜她有些言语高低，触犯了押司，看老身薄面，今日同我去一趟吧。"宋江推托道："今日县里公事忙，走不开，改天吧。"阎婆却不吃他打发，拉住宋江衣袖不放，死缠活缠，把宋江拉进西巷的楼里。

阎婆惜见是宋江来了，躺在床上不动。此时她心里只恋着张文远，懒得搭理宋江，不再似先前那样撒娇卖乖。阎婆拉女儿起来说话，她甩开阎婆的手，发话道："你没事添什么乱？我又没做歹事，叫我陪他说什么话？"宋江听了，心里已有几分不自在。

那阎婆见女儿使性，便又弄一桌酒菜来调和气氛，让女儿起来陪酒，婆惜道："我不陪酒又能怎样，难不成拿剑杀了我？"阎婆只好赔着笑，自己劝宋江喝酒。

宋江连喝了三五杯，走也不是，留也不是，被阎婆夹七杂

八地劝说了许多言语。

这时，闲汉唐牛儿来找宋江讨杯酒喝，宋江朝他使个眼色，他便说知县找宋江有公事，要拉宋江离开。阎婆看出唐牛儿撒谎，将他打了两个巴掌，赶了出去。宋江见状，更是走不成了。阎婆回过身来，又来劝酒。婆惜被她娘缠不过，也勉强起来喝了一杯。阎婆见两个有些好了，又劝了宋江一番，便收拾酒桌，让宋江与女儿歇息，自己下楼去了。

宋江见阎婆惜一副爱搭不理的样子，憋了一肚子的气。

宋江自觉尴尬，坐在杌子上不动，只等阎婆惜来与他说话，好混过这一夜。谁知婆惜心里却道：我心里只想着文远，却被你搅了，还指望我像先前那样低声下气陪你说话，真是想也别想。两个人在灯下对面坐着，各自心里踌躇，都不做声，好似泥塑的一般。

杌子：即凳子。多指矮小的凳子。

约到二更天气，婆惜不脱衣服，自己躺到床上，向壁里睡了。宋江心里气闷，酒劲却上来，打熬不住，也只得脱了外面衣服，将解衣刀和招文袋顺手搭在床边栏杆上，上床在婆惜脚后跟躺下。不一会儿，只听婆惜在脚后跟冷笑，宋江更是一肚子的气，哪里睡得着？好容易捱到五更，宋江起来，用冷水洗了脸，穿上外衣，就准备出去，口里骂道："你这贱人，真是无礼！"婆惜也不曾睡着，回骂了一句，宋江忍气下楼。

来到街上，宋江碰到赶早市的王公，王公给了他一碗醒酒汤，宋江喝了后，顿觉头脑清醒了许多，他正想摸招文袋取钱时，却才想起走的匆忙，招文袋忘在阎婆惜的床栏杆上，不曾带出来。这一惊非同小可，宋江心

人形双灯

这种灯是古代的照明用具。该灯的灯座是一男佣，男佣双手各持一个灯盏，灯盏上点上蜡烛，即可照明。

印金罗腰带

此腰带是丝罗制品，腰带两端有印金花纹。宋代的丝织品以花罗和绮绫最多，印花技术有很大发展，有泥金、描金、印金、贴金、加敷彩等多种工艺，许多丝织品大都由多种工艺相互结合制成。

想：那条金子倒不算什么，只是还有晁盖的那封书信，若被阎婆惜看到，定会闹出事来。他急急忙忙往回走。

且说婆惜见宋江走了，也爬起来，自言自语道："这厮搅了老娘一夜，不曾睡着，你不来倒好。"她铺好被子，脱了外面衣服，准备重新睡下。床前的灯却是十分明亮，正照在床栏杆上，婆惜见上面搭了一条紫罗鸾带，正是昨晚宋江一起搭在上面的，婆惜笑道："这厮忘了鸾带在这里，我拿来给文远系。"她拽过鸾带，也提起了刀子和招文袋。婆惜觉那招文袋有些重，用手一抖，抖出那条金子和那封书信来。婆惜将书信看了，大喜道："这回这厮可撞在我手里。我正想和文远做夫妻，单你是个障碍，你却与梁山泊强贼勾结，看老娘慢慢消遣你。"

阎婆惜正自在楼上欢喜，听得外面楼梯响，是宋江的声音，她慌忙把鸾带、刀子、招文袋一起卷了，藏在被子里，躺在床上装睡。

宋江来到房里，到栏杆处去寻招文袋，已不见了，

阎婆惜发现了金条和晁盖给宋江的书信。

他知道是阎婆惜拿了，只好忍了昨夜的气，用手摇婆惜道："你看在往日的情面上，还我招文袋吧。"婆惜只是装睡，并不应声。宋江又道："你还了我吧，我明天自来给你赔礼。"

那婆惜扭转身道："你什么时候交在手里，却来向我要？"宋江道："我昨晚放在栏杆上，这里又没有别人来，肯定是你收了。"

婆惜柳眉倒竖，圆睁杏眼，说道："老娘拿是拿了，就是不还你。你到官府去告我，好断我做贼。"宋江忍气，再三求告。阎婆惜道："你答应我三件事，我便还你。"宋江问是哪三件，阎婆惜道："第一，把原先典我的文书给我，任我改嫁。第二，我现在身上穿的，家里用的，都一概送我，不许来讨。第三，那晁盖送你的一百两金子，都拿来给我，我便饶了你这一场天大的官司。"宋江道："前两件都可依你，只是那一百两金子，我不曾要，没办法给你。"阎婆惜不信，仍是讨要。宋江道："你若不信，等我变卖了家产，给你一百两金子如何？你先把招文袋还我。"婆惜只是冷笑，说要到官厅上去告。

"宋江正一肚子气没处撒，不等她叫第二声，早手起刀落，向阎婆惜的脖子上砍去。"

宋江忍无可忍，上前来扯被子，婆惜紧紧把东西抱在怀里不放。宋江使劲一拽，却拽出那把刀子来。宋江将刀子拿在手里，婆惜一见，喊道："黑三郎杀人了。"只这一声，倒提醒了宋江。宋江正一肚子气没处撒，不等她叫第二声，早手起刀落，向阎婆惜的脖子上砍去，顿时鲜血飞出。宋江又砍一刀，那头就落在枕头上。

鸾带：是一种两端有排须的宽腰带，一般为富贵人所用。

宋江杀了阎婆惜，将那书信烧了，抽身要走。阎婆听到动静，闯上楼来，见女儿死了，拉住宋江去告官。宋江被她扯得脱不开身，恰巧被唐牛儿碰上。唐牛儿不明就里，见阎婆扯着宋江不放，为报昨日挨打之仇，上去打了阎婆一巴掌。阎婆松手，宋江这才脱身而走，直往远处奔去了。

枕头

枕头是人睡觉时垫在头下的用具，也是一种不可缺少的卧具。古代枕头多种多样，有用布缝制的枕头，也有木制枕头和玉制枕头。

银酒注

酒注是古代必不可少的酒器，可用于喝酒时盛酒、倒酒，还可用来温酒。此酒注用银制成，直嘴，圆形粗颈，造型普通，是古代比较常见的酒具。

宋江脚步不稳，一脚踩在火锹柄上，炭火掀到武松脸上。

｜第十三章｜
景阳冈武松打虎

话说宋江杀了阎婆惜，阎婆大闹郓城县，状告宋江。幸亏知县、朱仝等人与宋江交好，都念宋江是个好人，暗里帮忙，宋江才得以与兄弟宋清逃往柴进庄上避难。

宋江来到沧州，柴进热情接待，两人早就互闻大名，相见分外欢喜。宋江将杀死阎婆惜之事一一告诉柴进，柴进听了道："兄长放心。即使是杀了朝廷命官，劫了府库财物，柴进也敢留在庄上，兄长只管住在这里就是。"随即吩咐庄客摆下酒宴，招待宋江兄弟。

酒至傍晚，宋江喝得有几分醉意，走出屋来躲酒。他走到东廊下，一个脚步不稳，踩在一把火锹柄上，这下却惹起一个人来。原来东廊下一个大汉正靠着火锹烤火，宋江一脚踏着火锹柄，那火锹里的炭火全掀到大汉脸上。那大汉吃了一惊，跳起来揪住宋江要打。庄客忙过来拦住，柴进出来，忙为二位做了介绍。

原来这大汉姓武名松，清河县人氏，排行第二，人称武二郎。因与人斗殴，躲在柴进庄上有一年多了。武松一听是宋江，过来倒头便拜，说道："小人有眼不识泰山，万望恕罪。"
宋江扶起武松，见武
松身躯凛凛，相貌堂
堂，心中喜爱，认了
武松做兄弟，处处提
携武松。

武松陪宋江在
柴进庄上闲住了数
日，打听得前事已无
关碍，便要回家看望
哥哥。柴进、宋江苦
留不住，只得摆酒为
他送行。宋江又赠了

武松在一家"三碗不过冈"的
酒店里，一口气喝了十五碗酒。

武松许多银两，亲自送出六七里，二人洒泪而别。宋江
自回柴进庄上不提。

一日，武松来到阳谷县，此地已离清河县不远。当
日晌午时分，武松走得肚里饥渴，望到前面一个酒店，
只见酒旗上写着"三碗不过冈"五个大字。武松走进去
坐下，叫店家拿酒来喝。店主人给武松倒了一碗酒，武
松喝了道："这酒真是好酒力。"又让店家倒酒，并要了
熟牛肉下酒吃。武松一连喝了三碗，店家却不肯来倒酒
了，武松敲着桌子道："我又不少你酒钱，为何不再卖
给我喝。"店家道："客官要肉可以再添，酒却不能给你
了。小店的酒性烈，喝了三碗就会醉倒，过不了前面的
山冈去，因此叫'三碗不过冈'。"武松笑道："我已经
喝了三碗，怎么没倒？休要啰嗦，只管倒酒来。"店家
只得又给他倒了三碗。武松一边喝酒，一边吃肉，越吃
越香，哪里肯住？一连喝了十五碗。

吃饱喝足后，武松付了酒钱，提了哨棒要走，店家
赶出来拦住道："你且不要走，前面景阳冈上有只吊睛

武松提了哨棒，往景阳冈走去。

申牌：即申时，指下午3点钟到5点钟的时间。

哨棒

　　哨棒是一种一头为实心，一头为空心的棍子，空心的那头可以吹，吹出的声音像龙吟虎啸，可驱赶狼群。古时山东道上狼群极多，过往客商习惯带一根哨棒以作防身之用。

白额大虎，专在晚间伤人，已经吃了二三十个大汉。官府已发下榜文，让来往客人只在巳、午、未三个时辰结伴过冈，其余时间都不要在此行走。现在已是未初时分，你莫要前去送了性命，不如先在小店歇了，等明日和别人一起结伴过冈吧。"武松听了笑道："我是清河县人氏，这景阳冈少说也走过一二十遭，什么时候见过有老虎？你不要拿着这种话来吓我。"店家道："我是好意救你，不信你进来看官府的榜文。"武松道："你这样殷勤，莫不是骗我在你家歇了，半夜要谋财害命？就是真的有老虎，老爷也不怕。"店家见武松不识好歹，也就作罢，摇着头进自己店去了。武松自提了哨棒往景阳冈而来。

　　约走了四五里路，已是申牌时分，太阳渐渐地傍着山尖下去了，武松乘着酒兴，只管往山冈子上走来。又走了半里多路，武松见一个破败的山神庙，庙门上贴着一张印信榜文。他上前观看，只见上面写着"景阳冈上，新有一只大虫，伤害人命。现今杖限各乡里正并猎户人等行捕，未获"等语。武松看完，才知道真的有老虎，正待要回去，又怕被那店家耻笑，心里想了一回，寻思道：怕什么鸟！且上去看看，又能怎样？于是武松借着酒劲继续往上走。又走了一阵，武松酒力发作，只觉浑身燥热起来。他一只手提着哨棒，一只手将胸前的衣襟敞开，见前面有一块光溜溜的大青石，便将哨棒放在一边，翻身躺上去。

突然，林里刮起一阵狂风来，那风呼啸着卷起一地落叶，风过处，只听得树林背后扑地一声响，跳出一只吊睛白额大虎来。武松一见，叫了一声，一个激灵从青石上翻下来，将哨棒提在手里，闪在青石后面。

老虎

虎有"百兽之王"的美称，是独立、优雅而又神秘的动物。它们一般在夜间觅食，当接近猎物时，可以把笨重的身体贴近地面，藏在草丛中等不易被发现的地方。除了尖牙和利爪外，老虎那又粗又长的尾巴也是一件厉害的武器。当它们攻击猎物扑空时，便会抡动尾巴扫向对方，这一招常常让猎物躲闪不及。

那虎又饥又渴，见了武松，把两只前爪略按一按，提身往上一蹿，直从半空中扑下来。说时迟，那时快，武松见老虎扑来，只一闪，就闪在老虎背后。那虎见没扑着，也不转身，将前爪搭在地上，把腰胯一掀，整个后半身就朝武松掀过来。武松却又一躲，又躲在一边。这回老虎有些急了，大吼一声，好似半空中起了一个霹雳，震得山冈乱动。吼声未尽，那虎就将铁棒似的一条虎尾，倒竖起来，朝武松一剪，武松身体灵便，却又躲开。

那大虎见又剪不着，急了，再吼一声，兜了个身，又向武松扑过来。原来一般老虎抓人，只是一扑、一掀、

老虎见了武松，往上一蹿，直从半空中扑下来。

斗笠

　　斗笠是遮阳光和雨的帽子，有很宽的边，一般用竹篾夹油纸编成。在古代，斗笠多是下层劳动人民的用具，人们下田劳作或出门行路多戴斗笠，以遮阳光和风雨。

　　武松按住老虎，左手揪住顶花皮，右手提起铁锤般的拳头便打。

　　一剪，这三般拿不着，气性就先自消了一半。武松见老虎又翻身回来，双手抡起哨棒，使尽平生力气，从半空中劈将下来。只听咔嚓一声巨响，旁边那树连枝带叶被打下来。武松定睛一看，原来打得急了，不曾打到老虎，正打在旁边的枯树上，那哨棒被折成两截，只剩一半在手里。

　　老虎咆哮大怒，翻个身又向武松扑过来。武松向后一跳，退了十来步远，那虎的两只前爪恰好搭在武松面前。武松将半截哨棒一丢，两只手就势将老虎的顶花皮揪住，一把按下来。那虎要挣扎，无奈武松气力大，却挣脱不出。武松按住老虎，提起脚朝老虎的面门上、眼睛里没命地乱踢。那虎被打得疼，拼着命地咆哮，身子底下扒起两堆黄泥，刨出一个大土坑来。武松又就势将老虎的嘴直按到黄泥坑里，左手揪住顶花皮，腾出右手，提起铁锤般的拳头，使尽力气，只顾乱打。打到六七十拳，那老虎的眼睛里、嘴里、鼻子里、耳朵里都迸

出鲜血来，不到一顿饭工夫，便动弹不得，嘴里只有出的气，没了进的气。

武松松开手，怕老虎不死，到松林里寻了那半截哨棒，拿在手里，又打了一回，直把老虎打死了。

阳谷县令见武松相貌堂堂，便让武松在县里做了都头。

武松坐在青石上歇了一会儿，见天完全黑了，怕再有老虎来，把斗笠戴好，挣扎着转过乱树林，一步步捱下冈来。

走了不到半里多路，只见枯草丛中又钻出两只老虎来，武松叫道："啊呀！我今番性命不保了！"那两只虎却在黑影中直立起来。武松定睛一看，原来不是虎，而是两个穿了虎皮衣服的人。这两人是县里的猎户，专在此下了窝弓、药箭捕虎。他二人见武松一个人从冈子上下来，大吃了一惊，武松遂将刚才自己打死老虎的事说了。两个猎户起初不信，后来见武松说得真了，又惊又喜，招呼十几个乡夫过来，一起跟着武松走上山冈。众人见老虎果真死了，都十分欢喜，上前将老虎绑好，抬下山冈来。

到了天明，早有人报知知县，众人抬了老虎，又抬了武松，直往阳谷县衙而来。那阳谷县的百姓，听说一个壮士打死了老虎，都涌到街上来看，一时轰动了整个县城。阳谷县令见武松相貌堂堂，心中喜爱，问了武松名姓，便道："你虽是清河县人氏，但离我县不远，我参你在本县做个都头如何？"武松听了大喜，连忙跪下拜谢。于是当日武松便做了阳谷县步兵都头，众人都上来与他道喜，武松心里也欢喜万分。

弩

弩也属于弓，又叫窝弓，相传为黄帝所造。弩的发射不依靠人力，而是用机关，力道强且射程远，比弓更加凶悍。古时狩猎往往将弩设置在丛莽中，用来猎捕虎、豹等大的猎物。

｜第十四章｜
武二郎怒杀潘金莲

话说武松做了阳谷县都头，知县喜爱，乡里闻名。武松虽心中想念哥哥，但也只得暂时把回家的念头放下。

一日，武松在街上闲逛，忽听背后有人叫道："武都头，你今日发迹了，为何不来看看我？"武松回过头来，见了那人倒身便拜。原来此人不是别人，正是武松日夜想念的嫡亲哥哥武大郎。武松道："一年不见，哥哥为何也在这里？"武大郎道："你走了这么久，也不来封书信，我着实想你。如今我娶了个老婆，清河县人都来欺负我，那里容不下身，只得搬到这里来住。"

武松在街上遇到哥哥武大郎。

原来武大与武松虽是一母所生，却有天渊之别。武松身高八尺，相貌堂堂，武大却是身不满五尺，相貌丑陋，头脑有些呆滞，清河县人给他取个绰号，叫做三寸丁谷树皮。

武大整日以卖炊饼为生，今天正在街上做买卖，不想碰到武松，武大道："兄弟，前日听说有个打虎英雄，在县里做了都头，我已猜到是你，今日果然在这里碰见。我也不做生意了，你且跟我回家去。"武松见了哥哥，分外欢喜，遂跟着武大一起回家。武大带着武松走到紫石街一家茶坊隔壁，叫道："娘子开门。"只见门里一个美貌妇人掀起帘子，从里面走出来，正是武大的老婆。这妇人名叫潘金莲，原是清河县一个大户人家的丫

宋代妇女盥手观花图

宋代妇女与骑骏马、穿胡服的唐代妇女不同，她们更醉心于优雅的环境，渴望闲情逸致与风花雪月，完全体现一种女性的阴柔之美。图为一贵妇在一边洗手，一边看花。

环，因长得貌美，得罪了主子，才被嫁给全县最丑的武大郎。此时武大道："我兄弟在这里，快过来相见。"武大又拉武松进去，武松上前，口呼嫂嫂，与潘金莲行礼。

潘金莲生性风流，见了武松，心里暗想道：这两人一母同胞，却是这般不同，我若嫁得这一个，也不枉活了这一生。遂在心里存了不良念头。她将武松请到楼上，又让武大安排了一桌酒菜，招呼得格外殷勤。

武松被哥嫂请到家里来住，潘金莲便借机体贴周到地照顾他。武松是个直性人，只把潘金莲当亲嫂嫂看待。一日，武大郎卖炊饼未归，武松却早回来，潘金莲便安排了酒菜，与武松喝酒。此间，潘金莲一再拿言语勾引武松，武松知觉，心里着恼，劈手将潘金莲递过来的酒杯夺了，泼在地上，把手一推道："我武二是个顶天立地的男子汉，不是不识人伦的猪狗，嫂嫂不要这样不知廉耻，否则我武二认得是嫂嫂，拳头可不认得是嫂嫂。"说完，自回房里生闷气。武大回来，武松也不与哥哥说话，自搬了行李回县里住了。

十几日后，知县有私事让武松到东京走一趟。武松来与哥嫂辞行，并警告潘金莲安守本分。潘金莲恼羞成怒，待武松走后，连骂了武大好几天。

又过了几日，潘金莲在门口被县里的大户西门庆撞见。西门庆是个有名的浮浪子弟，专爱拈花惹草，家里开了个生药铺，近来发迹，人都

北宋男女陶俑

这对陶俑面部丰满，线条柔和，神情逼真，其衣饰和头饰是普通百姓装扮，它们再现了北宋时普通民众的形象。

武松随武大来到家中，拜见嫂嫂潘金莲。

琥珀头饰

头饰是戴在头上的饰品。古代妇女多以金、银、玉、琥珀等质地的头饰来装扮自己，各种各样的头饰配在不同的发髻上可增添女性的柔美。图为圆球状的琥珀质头饰，通体晶莹透亮，光润照人。

叫他西门大官人。他见潘金莲生得妖娆标致，心里着了迷，一连几天都在武大郎家门口转悠。武大隔壁住的是开茶坊的王婆，王婆是个口舌伶俐、爱贪便宜的婆子。她见西门庆整天在此闲逛，看出他的心思，便为西门庆出谋划策，想出一条妙计。西门庆听了眉开眼笑，许了她十两银子。

一天，王婆到武大家，请潘金莲给她做寿衣。潘金莲答应下来，便到王婆家缝制衣服。缝了两天，西门庆假装到王婆家喝茶，王婆便说寿衣布料是西门庆送的，为感谢二位，她去张罗饭菜，请潘金莲和西门庆喝酒。席间，王婆借故离开，西门庆便动手动脚，勾搭潘金莲。潘金莲本是个不甘寂寞的，早就看出几分，两人你情我愿，就此好上了。

此后，潘金莲每天等武大郎出去卖炊饼后，就到王婆家与西门庆幽会。不到半月，街坊邻居都知道了此事，只瞒了武大郎一个。

潘金莲在隔壁王婆的牵线下，和西门庆勾搭上了。

县里有个卖梨的郓哥，才十五六岁，十分乖觉伶俐。一天，他到王婆家找西门庆，想让西门庆买他几个梨，却被王婆拦住，打了他几个耳光。郓哥一气之下，去找武大郎，将西门庆勾搭他老婆的事告诉他。

武大郎在郓哥的帮助下闯到王婆家里捉奸，却被西门庆一脚踢在心口上，口吐鲜血，病倒了。武大郎一连病了五天，无人理睬。潘金莲依旧每日浓妆艳抹地出去和西门庆幽会。武大气得发昏，对潘金莲道："你们做的好事，我都晓得了。我死不妨，只是我那兄弟回来，一定不会与你们干休。"潘金莲将此话对西门庆说了，西门庆也知道武松的厉害，心里发慌，不知如何办好。王婆冷笑道："你们若想做长久夫妻，我有办法。趁武大病重，将砒霜下在药里，结果了他，再一把火烧掉，岂不干净省事？"西门庆与潘金莲听了，都赞好计。

潘金莲回家，便将从西门庆那里拿来的砒霜放在药里，给武大灌下去，就此毒死了武大郎。王婆从隔壁过来，帮潘金莲收拾了尸首。潘金莲假哭了半夜，第二天天明，街坊邻居们都来吊问。

为防备别人看出破绽，西门庆又依照王婆的计策，去找专管烧埋尸首的何九叔，给了何九叔十两银子，只让他顺利烧了武大郎的尸体。何九叔是个精明的人，知道其中有蹊跷，便先收下银子，待武大郎下葬时，他偷拿了武大郎的两块骨头，放在水里一浸，骨头变成酥黑，他便知道武大郎是被毒死的无疑了。何九叔将骨头和那十两银子包在一起，写上日期，留作证据。

潘金莲依照王婆的计策，在武大郎的药碗里放了砒霜。

砒霜：砒霜是最古老的毒药之一，学名三氧化二砷，为白色无臭无味粉末，有剧毒。可以经呼吸道、皮肤及消化道吸收，对人致死量为 0.1～0.2 克。

何九叔和郓哥一五一十地向武松诉说武大郎被害原委。

宋玉龙柄葵花式碗

此碗是一件酒器，以乳白色玉料制成，局部有褐色斑点。体呈六瓣葵花形，一侧镂雕街口龙柄。外壁于回纹锦地上刻有三角纹、夔凤纹等。此器仿照商代青铜器的纹饰，但仍具有宋代的风格。

那潘金莲自武大郎死了之后，再也没有什么顾忌，整日和西门庆在自家楼上取乐，整条街上远近人家无一不晓。不觉又过了一个多月，武松从东京回来，他来到哥哥家里，突然看到武大郎的灵位，大吃一惊，如同遭了晴天霹雳一般。潘金莲在楼上听到武松的声音，连忙让西门庆从后门走了，自己穿上孝服，假哭下来，只说武大郎是害心疼病死的。隔壁王婆听到风声，也过来替她遮掩。

武松心里既是悲痛，又是疑惑，他换了素衣，在哥哥灵前大哭了一场。武松问明是何九叔给管理烧埋的尸首，便径直来找何九叔查证。何九叔知道武松厉害，心里惊怕，便将先前放的骨头和银子拿出来，交给武松道："这些都是见证。我虽不知前因后果，但大郎是被毒死的，确是无疑。"武松听了，悲愤难当。何九叔又帮忙找来郓哥问知底细。郓哥将自己如何去找西门庆，被王婆打了耳光，又如何帮武大郎去捉奸，武大郎被西门庆踢了一脚的事都细细说给武松。

武松把一切都弄明白后，便带何九叔和郓哥来到县衙，要知县做主，为哥哥报仇。谁知知县早与西门庆有来往，这次又得了西门庆不少银子，不肯为武松秉公办理。武松见状，便把何九叔和郓哥留在县衙自己房里，他自带了几个士兵回到家来。

武松让潘金莲准备酒菜，招待邻居。他把王婆和在附近住的姚二郎、赵四郎以及卖酒的胡正卿，都请到家里坐下。前后门都有士兵把守，这几个邻居想走又不敢走。

酒喝了三四杯后，武松从衣服里抽出那把尖刀来，睁着圆眼道："众位高邻在此，我冤有头债有主，只请各位做个见证。"说完，一把揪过潘金莲，指着王婆骂道："你那老猪狗，我哥哥的性命都在你身上，快将如何害死他的从实招来。"王婆不语。潘金莲还要狡辩，武松"咔嚓"把刀插在桌子上，左手揪住她头发，一脚踢翻桌子，把她提过来按倒在武大郎灵前，两脚踏住。武松拔出刀来，指着王婆，要王婆实说。王婆仍是狡赖，众人都吓得胆战心惊。潘金莲已吓得魂都没了，全都招了出来。武松让胡正卿一一记下，众人都按了手印。

武松道："哥哥灵魂不远，兄弟为你报仇。"说完，一刀将潘金莲杀了，众人都吓得不敢动弹。武松又将潘金莲的头割了，带上去找西门庆，在一家酒楼前，把西门庆也杀了。武松将两颗人头都供在哥哥灵前，为武大郎报了仇。

湖州笔砚

古时的墨是用煤烟或松烟制成的块状物，要放入砚台中，加水进行研磨才能用于书写，所以砚台在古代文具中占有相当重要的位置，和毛笔一同被列入文房四宝。这是宋人用过的笔砚。

武松一脚踏住潘金莲，拿刀要杀她。

平民穿的麻鞋

麻鞋即是用麻、葛编织的鞋子。麻鞋样式简单，穿起来方便，易于行事，所以深受民间欢迎。特别是常年在外奔波者多穿麻鞋。

武松提拳要打孙二娘，张青从外面跑进来。

第十五章

武都头醉打蒋门神

武松杀了潘金莲和西门庆后，便到县衙自首。案子报到府尹处，府尹得知事情底细，有意照顾武松，最终判他脊杖四十，刺配孟州牢城，判了王婆剐刑。

武松随两个公差，一路向孟州行走。这时已到六月炎热天气，一日中午，三人走过一座山岭，来到一个土坡下的酒店。一个妇人坐在酒店窗边，头上乱插着珠翠，打扮得花里胡哨，目露凶光。武松见她不是善辈，便起了戒心。

三人进店坐下，那妇人端过一盘肉馅馒头来。两个公差拿起来就吃，武松却掰开一个道："酒家，你这馒头是人肉的还是狗肉的？"那妇人笑道："客官不要取笑。哪里有人肉、狗肉？小店里都是牛肉的。"武松又故意要好酒喝，妇人新拿出一壶酒来。两个公差端起碗来喝了，武松却又要肉吃，趁那妇人转身的空隙将酒泼了，故意咂嘴，装做喝过的样子。那妇人转了个身回来，见武松三人都喝了酒，拍手叫道："倒也，倒也。"两个公差倒了，武松也假装倒下。那妇人上来提他时，他一翻身，将妇人压在地上，提起拳头要打，那妇人杀猪般叫起来。这时，门外一个汉子跑进来叫道："好汉息怒，且饶恕了，小人自有话说。"

管营要打武松杀威棒时，一个年轻人上来劝住。

武松跳起来，用左脚将那妇人踩住，见那进来的汉子生得三拳骨叉脸，年近三十五六。那人道："愿闻好汉名姓。"武松报了姓名，那人听了倒头便拜，道："久闻好汉大名。小人张青，绰号菜园子。这是我的渾家，人都叫她母夜叉孙二娘。"武松见他不是等闲之人，又如此小心赔罪，便将那孙二娘放了，说道："刚才冲撞，阿嫂休怪。"张青请武松重新坐下来，两个各自互道生平之事，十分义气相投。

张青又将两个公差救醒，留武松在店里住了多日，武松才来到孟州牢城。牢城的规矩：新来的犯人都要先打一百杀威棒，杀杀锐气。五六个军汉将武松押到点视厅上，管营道："你那囚徒，新到配军，须吃一百杀威棒。"武松道："你们要打便打，我若闪一棒叫一声，不是好汉。"

渾家：即妻子。多见于早期白话。

两边众人都笑起来，军汉举棍正要打时，管营身边一个二十四五岁的年轻人，头上缠着白手帕，一条胳膊用白绢吊住，上来对管营耳语了几句。管营立刻假问武松是否害病，要饶了武松。武松仍一个劲地说不曾得病，让军汉打他。两边人又都笑起来。管营也笑道："这汉子想是害热病，热糊涂了，把他押到牢房去吧。"

武松不曾挨打，心里倒有些纳闷。回到牢房，众囚犯都说肯定是晚上要杀了武松。正说话间，一个军汉托一个盒子进来，问道："哪个是新来的武都头？"武松

印花云龙纹盘

盘子是用于盛放食品菜蔬或其他物品的浅底器具，比碟子大，多为圆形。此盘内印云龙纹，纹饰清晰，盘口包有铜圈，是北宋定窑的制品。

武松面对每天送来的好酒好菜，心里十分纳闷。

答应一声，那人道："管营叫送点心来。"武松打开盒子，见是一大壶酒，还有肉有面。武松心里更是纳闷，但又想道：先不管他，吃了再说。于是将酒肉都吃了。

到了晚上，先前那个军汉又托了一个盒子进来。打开盒子，又是一顿好酒好菜，武松见了，暗暗想道：定是吃了这顿酒食，便来结果我。我先吃了，就是死也做个饱死鬼。那军汉等武松吃完，收拾碗碟出去了。不多时，那军汉又带一个汉子进来，伺候武松洗浴，并把床铺好，让武松安歇。武松是丈八和尚，摸不着头脑，便也倒头睡下。

第二天，又有人来伺候武松洗脸，并给武松换了一个上好的干净房间。武松在房里坐到中午，先前的军汉又送酒饭来，有四盘菜蔬，还有鸡肉、蒸卷等。到晚上又请武松洗浴、乘凉歇息。

如此这般过了数日。武松见每日都给他好酒好肉吃，并不曾害他，心里着实不明白是怎么一回事。一天，那军汉又送酒饭来，武松忍不住问道："是谁让你拿酒食来的？"那人回答是小管营。

这小管营是管营的儿子，名叫施恩，人送绰号金眼彪，当日在点视厅上救了武松，让武松免打的就是他。施恩在东门外一片林子里开了许多客店赌坊，名唤快活林，每月可得二三百两银子，不想前不久被一个叫蒋忠的夺了店铺。那蒋忠是新到任的张团练带来的，身高九尺，有一身武艺，江湖上人称蒋门神。蒋门神不但抢了

古代面食

此面食做成圆形、方形、菱角形、叶片形等各种形状，花样繁多，做工精巧。我国的面食文化自东汉时就有记载，而到宋代时，人们才开始吃发酵过的面食。宋代面食的种类繁多，制作方法也多种多样，其中的包子、点心、面条等主要面食已与现代人们吃的相差不多。

施恩的店铺，还将施恩打得两个月起不了床。

武松一听是小管营请他，便叫军汉请施恩出来相见。施恩见了武松便拜，将上述一段原委告诉武松，请武松为他出气。武松本来就爱抱打不平，听了施恩的话道："我平生只打不明道德的人，既是这般，我便和你去，将那厮和大虫一样打死，我自偿命。"

老管营得知武松肯帮忙，便让施恩拜武松为兄，两人结成了金兰兄弟。武松心里欢喜，当夜喝得大醉，回房歇息了。施恩父子本来怕武松喝醉了没有力气打架，武松却偏偏是半醉时才有万钧神力。他让施恩答应他去快活林的一路上，凡遇到一个酒店便让他喝三碗酒。施恩见是如此，也便依了他。第三天一早，施恩领着武松，让家丁挑了上好的酒菜，一路往快活林而来。

每见一个酒店，武松就进去坐下喝上三碗酒再走，一路上有十几家酒肆，武松约莫喝了三十多碗。将到快活林时，已是中午时分，武松有五六分醉了，他让施恩并仆人等躲到一边，自己往林子而来。

武松将六分醉装成十分，前颠后仰，东倒西歪地往林子走。走到林子背后，武松见一个金刚大汉，靠一把交椅，手里拿着蝇拂子，坐在绿槐树下乘凉。武松见那人相貌粗疏，怪眼圆睁，一身的横肉，想到便是蒋门神了。他装醉着走过去，来到蒋门神的酒店前，见酒望子上写着"河阳风月"四个大字。

武松半睁一双醉眼，走进店里。酒保送上酒来，武松嫌酒不好，连换了几次。柜台

蝇拂子：驱蝇除尘的用具。也称拂尘，多以马尾制成。

武松一路喝酒，半醉着来到快活林。

槐树

　　槐树是一种落叶乔木，其叶为羽状复叶，花淡黄色，可食，结荚果。槐树树姿优美，是优良的绿化树种。盛夏季节，槐叶浓密，可蔽阴乘凉。图为龙爪槐。

后站着一个年轻貌美的妇人，是蒋门神新娶的小妾。武松问酒保道："你那主人家姓什么？"酒保答道："姓蒋。"武松道："为何不姓李？"那妇人听了，生气道："这厮在哪里喝醉了，到这里来撒野？"

　　武松又道："让那柜台上的妇人下来陪我喝酒。"酒保喝道："休胡说，那是主人家娘子。"武松道："即使是主人家娘子，陪我喝酒，又能怎样？"那妇人大怒，骂道："该死的杀才！"正要奔出来。武松早将一桶酒泼在地上，抢到柜台前，不等那妇人动身，他一手便将妇人隔柜台提过来，朝浑酒缸里只一丢，只听"扑通"一声，那娇弱妖娆的美人便被丢进大酒缸里。

　　几个酒保见状，上来要打武松，武松手快，提起一个，便扔进酒缸里，再提起一个，也照旧扔进去。再有敢上来的，都被武松一拳一脚打倒，在地上爬不动。有个伶俐的急忙跑出去报信，武松收拾了这几个，便走出去迎上。

　　武松一把提过蒋门神的小妾，扔进酒缸里。

那蒋门神闻报大怒，踢倒交椅，便冲过来。两人在大宽路上撞见，蒋门神见武松醉了，欺他酒醉，只顾赶上来打武松。哪知武松只是半醉，正是万般神勇。武松伸两只拳头在蒋门神脸上虚晃一下，却忽然转身便走。

蒋门神大怒，赶过来，武松早飞起一脚，正踢在他小腹上，蒋门神疼得双手按住肚子，蹲下去。武松飞转个身，早又抬起右脚，踢在蒋门神额头上，蒋门神往后便倒。武松赶上去，踏住胸脯，提起醋钵大小的拳头，照蒋门神脸上一顿暴打。

原来武松使的这招是他平生的真才实学，那先把拳头虚晃一下，转身走，先飞左脚，踢中了，转个身，再飞右脚，是有名的玉环步、鸳鸯脚，非同小可。那蒋门神只有一身蛮力，哪敌得过武松？这一顿好打，打得蒋门神在地上求饶。武松喝道："若要饶你性命，得依我三件事。"蒋门神叫道："好汉饶我，别说是三件，三百件我也依。"

武松道："第一，你要离了快活林，将店铺交给原主施恩；第二，你让快活林为头为脑的人都来与施恩赔话；第三，你今日交割了，便离了此地，莫要让我看见。否则我见一遍打一遍，见十遍打十遍。"蒋门神一一应允，从地上爬起来，已是脸青嘴肿，脖子歪在半边。

这时，施恩带着众家丁军汉也到了，蒋门神给他赔了罪，很快收拾行李走了。施恩得武松出了这口气，更加敬重武松。武松自此在快活林住下，日日与施恩喝酒谈天，逍遥自在。

青瓷双柄鸡首壶
此壶壶嘴做成鸡首状，圆形壶腹，圆形壶口，壶颈略细长，底座宽大，有双道弯柄连接壶口与壶腹，是一件常见的酒器。

｜第十六章｜
张都监血溅鸳鸯楼

都监：宋时一种武职，属正六品，地位仅次于当地的镇守使，是地方上有权有势的武官。

且说武松在快活林醉打了蒋门神，名声大噪，远近无人不知武松的厉害。转眼过了一个多月，已近深秋天气，一日，武松正与施恩在店里闲坐，有两三个军汉来到店前，自称是兵马张都监派来的，请武松到都监府里走一趟。张都监是施恩父亲的上司，武松又是囚徒，正属他调遣，施恩只好让武松去了。

武松来到都监府里，那张都监见了，十分欢喜道："我早闻你是个大丈夫、男子汉，敢与人同生死。我帐下正缺少这样一个人，你肯做我的亲随吗？"武松跪下谢道："小人只是个牢城囚徒，相公如此抬举，小人自当服侍大人。"张都监听了大喜，随即叫拿出果盒酒食来款待武松。武松得蒙张都监如此礼遇，心里高兴，当天喝得大醉。

自此，武松便在都监府里住下，每日早晚张都监都传唤武松到后堂喝酒吃饭，让他穿房入户，如同亲人一般看待，自与别的亲随不同。武松在都监府里，人人奉承抬举，凡是有公事要求都监的，都来先与武松说，武松再与都监说了，无有不依。外人也有送武松金银财帛的，武松便把这些送的东西都锁在一个柳藤箱

张都监把武松留在身边做亲随，十分优待礼遇。

子里，放在自己房间。

光阴迅速，转眼到了八月中秋。中秋之夜，明月高挂，玉露生凉，张都监在后堂深处的鸳鸯楼上摆下酒宴，让武松来陪酒。武松见有夫人宅眷在楼上，饮了一杯，便想回避离去。张都监叫住道："我敬你是个义士，所以叫你来一起喝酒，都是自家人，不须回避。"武松道："小人是个囚徒，不敢和恩相同坐。"张都监笑道："义士差矣。此处没有外人，不要见外，但坐无妨。"武松又三番五次谦让告辞，张都监却是无论如何也不肯放。武松无奈，只好远远地斜着身子坐下。

中秋之夜，张都监请武松与自己的家眷坐在一起喝酒。

喝了五六杯，张都监又叫拿大杯来饮，一连又劝了武松几杯。武松喝得半醉，忘了礼数，只顾痛饮。当时明月皎皎，月光照进窗子来，张都监叫进一个名唤玉兰的养娘，让她唱曲。那玉兰生得脸如莲瓣，唇似樱桃，一双明眸楚楚动人。玉兰唱了一首苏东坡的《水调歌头》，唱完，张都监又让她给武松敬酒。武松不敢抬头，接过酒杯一饮而尽。张都监指着玉兰道："此女颇聪明伶俐，你若不嫌弃，就给你做个妻室。"武松起身拜道："小人怎敢要恩相宅眷为妻，折杀武松。"张都监笑道："我既出此言，你不要推阻，我必不负约。"

苏东坡

苏东坡，即苏轼（1037~1101），字子瞻，号东坡居士，眉州眉山(今四川眉山)人，北宋大文学家。他的词开创豪放一派，打破音律的严格限制，直抒胸臆，其艺术成就达到顶峰地位。尤其是他的《水调歌头·明月几时有》一词，更是千古传诵的名篇，历代有人演唱。

武松又一连饮了十几杯酒，觉得酒劲涌上来，怕失了礼节，便起身告辞，回到自己房前。因酒喝得多，不便睡觉，武松就在月下使起棒来。约到三更时分，武松进到房里，正要入睡，忽听后堂一片喊"有贼"声，武松心想：相公如此错爱我，他家有贼，我该去救护。

武松被押到房里，箱子里搜出金银来，张都监大骂武松。

铁钳和铁桎

铁钳和铁桎分别是套在脖子上和脚上的古代刑具。宋代刑罚制度较前代，由轻转重，宋时的在押犯人手脚都要被套上刑具，以防逃跑。

于是武松提了一条哨棒，奔到后堂来。那个玉兰慌慌张张地走出来指道："一个贼奔到后花园里去了。"武松听了，提着哨棒大踏步赶进花园里去寻，找了一遭，什么也没发现。武松返身回来时，不提防黑影里撺出一条板凳来，把他绊倒，七八个军汉上来，口喊"捉贼"，就地将武松绑了。武松急道："我是武松，不是贼。"军汉们不容他分说，一步步把他打到厅上。

张都监正坐在厅中，见了武松，变了脸，大骂道："你这个贼配军！贼心贼肝，我倒要抬举你，刚才还叫你一起喝酒，你却为何做这种勾当？"武松分辩道："相公，不关我事。我本是来捉贼，为何倒把我当贼捉了？武松是顶天立地的好汉，不做这种事。"张都监喝道："你这厮休要抵赖！且到他房里看看有无赃物。"众人把武松押着，来到武松房里，打开他那柳藤箱子，上面都是些衣服，底下却是金银器皿，约有一二百两银子。武松见了也目瞪口呆，只是叫屈。张都监大骂道："贼配军，如此无礼，赃物在你箱子里搜出来，还敢抵赖？你这厮外貌像人，内里却是一副贼心贼胆。"说完，不容武松分说，连夜让人把赃物封了，将武松送到机密房里看押起来。

第二天，武松被押到府衙，知府坐堂，不等武松开口，便喝骂道："这厮是远来配军，如何不做贼？一定是见财起心，左右只管用力给我打。"众牢头差役上来，拿起竹片，劈头盖脸地朝武松打下来。武松见不是势头，只得屈打成招，认了罪状。知府当下命将武松押到死囚牢里。

原来，那张都监招武松进府，不过是个圈套。蒋门神被武松打了，怀恨在心，让张团练使银子央嘱张都监设了这个计策，连同知府与一般衙役也都是早就收买过的。武松被押进大牢里，有刑具严禁着，早明白过来，心里寻思道：张都监那厮，安排下这个圈套害我。我若能得命出去，定不与他善罢甘休。

施恩听到武松被下狱的消息，慌忙拿出一二百两银子来上下打点。负责武松案子的有个叶孔目，为人仗义，不肯害好人。施恩找到他，请他帮忙。叶孔目拿银子去游说知府，知府得了贿赂，也就将武松的文案改得轻了。

施恩又打点了营里的牢头，到大牢里看望武松，送些酒饭，并上下打点了牢里差役。施恩低声对武松道："这场官司，明明是张都监替蒋门神报仇，陷害哥哥。哥哥放心，我已央人周全你，等断完出去，我们再理会。"过了几日，施恩又来看望，给武松送酒饭与换洗衣服。

又过了两个月，因有当案

孔目：孔目原指档案目录。后唐宋时在州、镇设"孔目官"，掌管六书。州、镇中的大小事务，都要经孔目之手记录、办理。

施恩上下打点，到牢里看望武松。

叶孔目鼎力相助，判武松脊杖二十，刺配恩州牢城。

武松忍着气，戴上行枷，由两个公差押着，往恩州而走。半路上，施恩出来相送，武松见他又包着头，缠着手臂，才知道蒋门神又夺了快活林，又将施恩痛打一顿。施恩送一些散碎银两给武松，叫武松提防那两个公差。

鱼浦：浦，指水边或河流入海的地方。鱼浦，指渔场，水边捕鱼的场所。

武松一路走着，也不理那公差，约莫走了八九里路，路边有两个汉子，提着朴刀，似专在那里等候。他俩见武松等人过来，便跟前跟后地一起走。武松见俩公差与那俩汉子四个人挤眉弄眼，心里早明白了几分。

又走了数里，来到一处鱼浦，四面都是河水。五个人走到一条阔板桥上，武松抬头，见一座牌楼上写着"飞云浦"三个大字。武松站住脚，两个提朴刀的汉子靠过来，要害武松。武松早有防备，飞起一脚，叫声"下去"，便将其中一个踢进水里。另一个来不及躲，武松右脚又起，也将这个踢下水去。两个公差慌了，赶忙逃命，武松喝道："哪里去？"把枷一扭，便折做两半。一个见了，吓得倒在地上。武松赶上去，将跑得那个打翻，捡起地上的朴刀搠死，又转过身来，将倒的

武松在飞云浦杀了两个公差并两个提刀来害他的汉子。

那个也杀了。

　　两个被踢下水的爬上来要跑，武松赶上，先砍倒一个。另一个求饶，说出蒋门神和张团练正在张都监家鸳鸯楼上喝酒，专等他们杀了武松回去报信。武松听了，将这个也杀了，然后提刀径奔孟州城里来。

　　武松进得孟州城，来到张都监家后花园外，翻墙进去，径直来到鸳鸯楼下。此时，张都监、张团练与蒋门神三个正在楼上喝酒。武松轻脚走到楼

武松杀了张都监、张团练与蒋门神三人，并在墙上留下姓名。

梯上，只听蒋门神道："多亏相公与小人报了仇。"张都监道："若不是看在兄弟张团练面上，谁肯干这种事？"张团练道："那四个对付他一个，武松那厮想必已经死了。"

　　武松听了，一把无名业火直冲脑门，他右手持刀，直闯到楼上。楼上画烛高照，十分明亮，蒋门神一见武松进来，吓得魂都没了，急得要挣扎，早被武松一刀砍翻。张都监刚要伸脚，武松转过身来，一刀砍在脖子上，两个都倒在楼上挣命。张团练见状，慌忙拿起一把椅子抢过来。武松接住，就势一推，张团练往后便倒，武松赶上去，一刀将他头剁下来。武松杀了三人，便蘸着血，在白粉墙上写下"杀人者，打虎武松也"几个大字。

　　这时楼下有两个亲随上来探望，武松将这两个也杀了。然后，武松又下楼杀了张都监夫人并养娘玉兰和几个丫环、仆妇。武松这才觉得雪了仇恨，他提了朴刀，连夜逃出孟州城而去。

蓝玻璃刻花蜡台

　　我国古代很早就用蜡烛照明，蜡台是放置蜡烛的用具，后来也兼成为室内的一种装饰。图中这座蜡台用海蓝色不透明的玻璃制成，造型优美，线条流畅，具有很高的艺术价值。

第十七章

小李广大闹清风寨

铜铃

铜铃是我国最早出现的有舌青铜乐器，最早是为配乐或伴舞之用。北宋末年，占山落草的人越来越多，铜铃也成为他们抢劫时的用具，作为传信号或报警之用。

武松杀了张都监一干人等，马上有人报告知府，知府大惊，立刻发下文书，捉拿武松。武松一夜奔走，遇到张青夫妇，张青与孙二娘将他打扮成一个行者，让他到二龙山去投靠鲁智深与杨志。原来杨志自在黄泥冈失了生辰纲后，一路来到青州，遇到鲁智深，两人合伙抢了二龙山，一起落草为寇。张青与他二人有联络，故叫武松前去入伙。

武松装扮停当，辞别张青夫妇，一路向二龙山行走，却在白虎山孔家庄上遇到宋江。原来宋江在柴进庄上住了大半年，被这孔家庄的孔太公接来，又在这里住了多时。武松将自己这一年来的遭遇都告诉宋江，两人一起在孔家庄上住了多日，又一起离开。

武松到二龙山入伙之事暂且不提。且说宋江是打算去投奔一个故交——清风寨知寨花荣，他与武松在路上分别后，又独自行走。一日，宋江来到一座高山前，此山名叫清风山，山上林木茂密，宋江错过了客店，看看天晚，只好硬着头皮朝一条小路上慌忙行走。不小心踏着一条绊脚索，树林里顿时铜铃乱响，一群小喽啰冲出来，七手八脚将宋江绑了，押到山

宋江在树林里被一群小喽啰绑了，押往山上。

上来。

宋江被绑到大厅里的将军柱上，冻得手脚冰凉，心里自叹命苦。约到三更天时分，几个喽啰簇拥着一个大王出来，宋江看时，只见此人是赤发黄须，生得浓眉圆目，臂长腰阔。这人名唤燕顺，江湖上人称锦毛虎，在这清风山上占山为王。燕顺扫了宋江一眼，

清风山的头领燕顺三人得知捉的是宋江，一起向宋江拜倒。

问道："这黑汉子是哪里来的？"喽啰们笑着回道："山下树林里绑来的，正好给大王做醒酒汤。"燕顺一挥手，道声"正好"，叫请二大王和三大王出来。

不一会儿，又有两个头领从后厅出来，一个五短身材，叫做矮脚虎王英，一个白净俊秀，人唤白面郎君郑天寿。燕顺见两个兄弟到了，叫小喽啰们杀了宋江，好取出心肝来做醒酒汤。宋江被泼了一脸冷水，喽啰们正要下手，宋江自道了句："可惜宋江死在这里。"燕顺听到"宋江"二字，吃了一惊，连忙喝叫住手，问道："什么宋江？你是哪里的宋江？"宋江答道："我是郓城县做押司的宋江。"燕顺听了，急忙走下来，拿刀割了绳索，将宋江扶到主位上，然后拉了王英和郑天寿两人，倒头便拜。宋江急忙下来，也跪在地上，问道："三位义士这是为何？"燕顺道："小弟有眼不识泰山，差点害了哥哥性命。我众人早闻哥哥仗义疏财、济困扶弱的大名，只是无缘相见。不想今日在这里撞见，真是了了我等心愿。"宋江听了大喜，连忙将三人扶起来。燕顺吩咐摆宴，四人喝酒谈天，同说相慕之情。

知寨：官名，古代地方上负责安防工作的官员。

宋江与花荣叙旧，说起自己在清风山上救了刘高妻子的事情。

宋江在清风山上住了几日，一天，王英掳来一个妇人，要占那妇人为妻。那王英也倒是个好汉，只是好色。宋江劝住王英，问那妇人是哪里来的。那妇人说是清风寨的知寨夫人，宋江一听以为是花荣的妻子。那妇人却道清风寨有一文一武两个知寨，她是文官刘高的家眷。宋江见是花荣同僚的夫人，便请王英放那妇人下山。燕顺见宋江请求，也不管王英乐不乐意，就打发那妇人下山了。宋江又在清风山住了几天，便告辞往清风寨而来。

清风寨的武知寨花荣，一听是宋江到了，急忙奔出来，拉住宋江便拜。那花荣生得唇红齿白，俊美风流，有一手百步穿杨的好箭法，人称小李广。宋江急忙把花荣扶起来，花荣命摆下酒宴，两人有五六年没见，坐下来各诉相思之情。

宋江将自己在清风山遇到燕顺等人的事说了，又说自己如何在山上救了刘知寨的夫人。花荣听了皱眉道："哥哥却是救错了。当初小弟独自把守这清风寨时，谁敢到青州搅扰？如今刘高那厮来了，却做了正知寨，这穷酸既没本事，又乱行法度，敲诈钱财，无所不为。小弟是个副知寨，每每受他的气，恨不得杀了那滥贼。哥哥救的那婆娘，极是不贤，经常调唆她丈夫行不仁之事，正该让那贱人受些侮辱才好。"宋江听了劝道："冤家宜解不宜结。你和他是同僚，相忍扬善才是。"花荣听了，也就作罢。

宋江在清风寨上住了一个多月，时到元宵佳节，清风寨上的百姓在大王庙前扎起一座小鳌山，上面悬花结

李广

李广是西汉时著名的军事将领，曾多次领兵进攻匈奴，立下赫赫战功，人称飞将军。李广善射箭，其箭法之神无人可敌。花荣也善射箭，故以小李广称之。

彩，挂了几百盏灯。元宵当夜，花荣自去公厅上当差，宋江由几个花荣的亲随陪着到街上玩耍。街上处处花灯高挂，流光溢彩，灯火辉煌，宋江赏完小鳌山，看得高兴，又边走边看，直走到南寨来。

宋夜市场面

宋朝是一个风俗化、市民化的时代，当时各大小城市的夜市十分繁华热闹，人流熙攘不断，到处有市民烹茶斗酒、品果看鱼，充满生活气息。

走到一处，只见一家大宅院门口围了一大群人，烛火荧煌，十分热闹。宋江挤进去一看，见是一伙舞鲍老的。那舞的人扭得傻粗可爱，宋江看得兴起，不由得哈哈大笑。不想这一笑却又惹出一场事来。

原来这院里正是刘高夫妻和几个仆妇在看戏，刘高妻子听到笑声，就灯光下一看，认出是宋江。这婆娘果然不良，指着宋江对她丈夫道："那个黑矮子，就是前日在清风山上抢我的贼头。"刘高一听，吃了一惊，立即让手下军汉捉拿宋江。宋江见势头不好，转身要走，却被军汉赶上，一把捉到刘高面前。

舞鲍老：舞鲍老是民间的一种舞蹈游戏，舞者带着假面具跳动，模仿傀儡的各种身段动作，取悦观众。此舞是北宋民间最具影响力的舞蹈之一，在全国各地非常流行。

刘高喝道："你这厮是清风山的强贼，如何敢到这里来看灯？"宋江辩解道："小人是郓城县张三，不是强贼。"刘高妻子从后面出来，指着宋江骂道："你这厮休赖，忘了清风山上让我管你叫大王吗？"宋江道："夫人怎么忘了当时是我一力救你下山的？为何反说我是强贼？"那妇人听了大怒道："这等顽皮赖骨，不打如何肯招？"刘高遂叫军汉下力打宋江。不一会儿，宋江便被打得皮开肉绽，鲜血迸流，随后又被锁进囚牢里。

刘高妻子恩将仇报，指使丈夫命人打宋江。

再说陪宋江的那些亲

门神

　　门神相传最早为两位天神，奉黄帝之命统辖人间鬼怪。后来人们将两神像贴于门上，当做门神，以镇宅辟邪。唐朝时，唐太宗命画工将秦叔宝、尉迟恭二人的形象画于宫门左右，此二人遂成为世代供奉的门神。

随，见宋江被捉，急忙来报告花荣。花荣一听大惊，连忙写了一封书信，派人给刘高送去，说宋江是自己的一个亲友，请刘高放人。刘高看了信后，将信撕得粉碎，大骂道："花荣这厮无礼！一个朝廷命官，竟和强贼勾结，还要让我放人，真是想也别想！"随即命左右将送信人赶出去。

　　那亲随被赶出寨门，急忙回来报知花荣。花荣一听也火了，立刻让人备马，自己披挂停当，装好弓箭，绰枪上马，带了四五十个军汉，直奔刘高寨里来。把门的军人见花荣怒气冲冲，无人敢挡，都吓得四散走了。花荣来到厅前，下了马，高声叫道："请刘知寨出来说话。"刘高在里面听见，知道花荣厉害，吓得魂飞魄散，不敢出来相见。

　　花荣见刘高不出来，喝叫左右到两边耳房搜人。四五十个军汉一起去搜，很快便在廊下一间房里找到宋江。此时宋江两腿锁着铁索，身上有伤，已难以行动。花荣见了心痛，叫人先把宋江送回家里，自己绰枪上马，冲里面高声发话道："刘知寨，你即便是个正知寨，又能把花荣怎样？谁家没有个亲眷，你却将我一个表兄锁在家里，滥施刑罚，强扭做贼，太欺人过甚！我明日再和你理论。"说完，带了众人，回到寨里看视宋江。

　　刘高在里面一听花荣走了，这才敢出来，他立即召集一二百人，叫他们到花荣寨里夺人。这一二百人中，有两个新任的教头，为首的那个虽然有些刀

花荣带人冲进刘高寨内，救出宋江。

枪武艺，但终比不上花荣。这些人心里不情不愿，但又不敢不听从刘高的命令，只好磨磨蹭蹭地赶到花荣寨前来。

此时，天色未明，这一二百人都挤在门口，无人敢进去。好容易等到天大亮了，却见两扇寨门大开，花荣正坐在里面大厅正中。花荣左手拿弓，右手拿箭，高声喝道："军士们听着：冤各有头，债各有主。刘高让你们来，休要为他卖命。你那两个新任的教头，还未见过花荣的武艺，今日先叫你众人看看花知寨的弓箭。再有不怕死的，只管进来。看我先射大门上左门神的骨朵头。"花荣搭箭拽弓，喝声"着"，那箭便飞出去，正射在左边门神的骨朵头上。众人见了，都吃一大惊。花荣又取过第二支箭，大声叫道："你们众人看着，我这支箭要射右边门神头盔上的朱缨。"话未说完，只听"嗖"的一声，那箭不偏不斜，正射在缨头上。众人顾不上吃惊，花荣又取过第三支箭来，喝道："我这第三支箭要射你们队中穿白衣服的教头心窝。"那教头听了，"啊"的一声，转身就跑。其余的人大乱，发一声喊，一齐走了。

花荣命关上寨门，自己到后寨看望宋江。宋江道："你这样把我抢来，又把那伙军汉吓走，刘高那厮必不和你善罢甘休。不如我先到清风山上躲一躲，他要来搜人，也抓不到你把柄。"花荣听了有理，便给宋江敷了膏药，待黄昏时分，让军汉送宋江出寨了。宋江自忍着伤痛，连夜向清风山走去。

花荣坐在厅上，向刘高的手下展示自己的神箭法。

骨朵头：骨朵是古代的一种的兵器，用铁或坚木制成，顶端为蒜头状，状如花骨朵，故名。骨朵头即是指这种兵器的上端。

|第十八章|

霹雳火夜走瓦砾场

清风山人马来劫囚车，黄信不敌，拨马就走。

狼牙棒

狼牙棒是一种打击兵器，在纺锤状的木制或铁制的锤头上，固定有很多像狼牙一样的铁钉，锤头上安着长柄。使用时手握长柄，打击敌人，具有很强的攻击力和杀伤力。

且说刘高却是个有算计的人，他见抢不回宋江，想到宋江一定会到清风山上躲避，便让二十几个军汉到路上等候。果然不出所料，宋江被抓个正着。刘高当夜写信，报告青州知府，说花荣勾结清风山强贼。那知府收到信后，大吃一惊，连忙派本州兵马都监黄信前去察看。黄信自恃有些武艺，夸口说要捉尽青州境内清风山、二龙山、桃花山三山上的强贼，因此人称镇三山。

黄信连夜来到清风寨，见了刘高，与刘高商议下捉拿花荣的计策。次日天明，安排停当，黄信请花荣到公厅喝酒，只说是知府派来为花荣和刘高讲和的。花荣此时只以为宋江已上清风山去了，不知是计，到了公厅，没有防备，便被黄信捉住，和宋江一起押往青州府。

黄信和刘高带领一二百人，押着两辆囚车，行不到三四十里，来到一片树林里。忽听"啮啮啮"地二三十面大锣齐响，那些军汉便慌了手脚。只见清风山三位头领燕顺、王英、郑天寿杀了出来，三人一起来战黄信，黄信敌不过，拍马就走。刘高吓得魂飞魄散，正待要逃，却被小喽啰们抓住。众军汉都四散逃了，三位好汉救了花荣和宋江，一齐回到清风山上。

花荣、宋江谢过救命之恩。宋江道："把刘高那厮给我拿过来。"燕顺命人将刘高绑到将军柱上。花荣道："我要亲手杀了这厮。"说完，一刀剜了刘高的心。

再说黄信逃回清风寨，连忙给知府送信。知府又派秦统制带兵来捉拿花荣等人。这秦统制名唤秦明，开州人氏，祖辈军官出身，使一条狼牙棒，有万夫不当之勇，因他性格急躁，声若雷霆，人都称他霹雳火。

箭

箭是弓的必备器物，有箭有弓才能发挥出实质作用。箭一般分为箭头、箭杆和箭羽三部分。箭头是战斗部，有双翼、三棱等多种形式，多用铜、铁制成，而箭杆和箭羽则起平衡和调节作用。古代弓箭，一直都是有强大杀伤力和震慑力的武器。

秦明听说花荣反了，怒气冲冲地带了几百人马赶来攻打清风山。清风山上众好汉闻报，皆面面相觑，不知所措。花荣道："不必惊慌，我自有办法。只需如此如此。"宋江等人听了道："好计。"当下各去准备。

秦明领兵来到清风山下，擂鼓叫战。只听山上锣鼓震天响，花荣领一队人马冲下来。秦明见了喝道："花荣，你祖代是将门之子，朝廷命官，为何勾结草寇，背叛朝廷？我今特来拿你。"花荣赔笑道："花荣怎敢背叛朝廷？都是刘高那厮无中生有，公报私仇，逼得花荣有家难奔，有国难投。"秦明不听花荣辩解，拍马提棒来战花荣，花荣纵马提枪迎战。两人战在一处，正是棋逢对手，战了五十回合，不分胜负。花荣卖个破绽，拨马便走，秦明在后就追。花荣跑了一阵，勒住马头，回转身搭弓射箭，一箭射落秦明头盔上的红缨，好似给他报个信一般。秦明吃了一惊，不敢再追，拨马回去，花荣也自回山寨去了。

统制：官名。北宋时，为加强中央集权，皇帝直接控制军队，将领不能专兵。遇到战事，朝廷便在各将领中选拔一人给予"都统制"的名义，以节制兵马。

花荣回转身搭弓射箭，一箭射落秦明头盔上的红缨。

秦明回到自己营中，越想越怒，喝叫官

可连发的连弩

这种武器的沟槽里可放十支箭，扣一下扳机就可射出一支，接着又有一支箭落入槽内，这样一次可连发十支箭。

兵一起攻山。众军士呐喊着赶上山来，转了两三个山头，只见上面檑木、砲石、金汁等一起从险处打下来，一下子打倒四五十人。秦明只得带人退下山来。

秦明是个性急的人，心头火起，哪里按捺得住？他又带领军马，绕山下寻路上山。寻到中午，只听西山上锣响，见闪出一队红旗军来，秦明领人赶过去，却是锣也不响，人也不见了。再看那路，没有一条正路，不能上山去。秦明正待让人开路，却又听东山上锣响，也闪出一队红旗军来。秦明拍马飞奔过去，又不见一个人影。秦明又气又急，纵马四下里寻路，又不见一条正路。这时，西山上又有锣响，再赶过去，仍是不见人影。如此折腾了一个下午，众军士都人困马乏。

秦明气得牙都要咬碎了，想要攻山，又没有路上去，看看天晚，只得回到营寨，命军士们做饭休息。众官兵正要做饭，只见山上火把乱起，锣鼓乱鸣。秦明大怒，带领四五十军士跑上山来，未到半山腰，树林里乱箭射下来，军士们被射伤不少，秦明又只得回马下山。刚到山下，山上有近百支火把一起点着，呐喊着下山来。秦明急忙带兵去赶时，那火把却都一齐灭了。

当夜虽有月光，却被阴云遮住，看不清楚。

秦明率军回到营寨，正要做饭休息，忽见山上火把四起，锣鼓乱鸣。

秦明怒气冲天，叫军士们点起火把，烧那树林。这时又听山上鼓笛声响，秦明纵马看时，只见十余支火把，照见花荣陪着一个黑汉喝酒。秦明那股暴躁怒气无处撒泄，勒住马，在山下大骂。

秦明抢上山来，走不到三四十步，连人带马全都掉进陷坑里。

花荣回言道："秦统制，你不必焦躁。我知道你今日劳困了，且回去休息，明日再拼个输赢。"秦明听了更怒，本想寻路上山，又惧怕花荣的弓箭，只在山下叫骂。

正叫骂间，忽听本部人马大乱，秦明回马一看，只见山这边火炮火箭一起烧下来，有二三十个小喽啰在黑影里放箭。众军士喊叫着一齐拥到山那边的侧深坑里去躲。此时已是三更时分，众人正躲箭时，上头却滚下大水来，顿时将坑填满，一行人马在水里挣扎，大部分都被淹死，少数爬上岸的，都被小喽啰拿挠钩搭住，捉上山去了。

秦明此时气得五脏俱焚，见侧边有一条小路，便把马一拨，舞着狼牙棒，抢上山来。走不到三四十步，只听"扑通"一声，连人带马全都掉进陷坑里。小喽啰们上来，将秦明搭出来，剥了衣甲战袍，拿绳子绑了，押到清风山上。

原来这番圈套，都是花荣与宋江定下的计策。他们利用秦明的火暴性格，先让小喽啰们或东或西，引诱得秦明等人人困马乏，再用弓箭把官兵逼到侧坑里，放水

金汁：是古人将大粪加上清水与黄泥，在大锅里熬制而成的一种"武器"，专门用来泼洒冲到城墙下的敌人。

青州知府在城墙上大骂秦明不仁不义。

宋代武官陶俑

此陶俑反映了宋代武官的普遍形象。宋代是一个重文轻武的时代，武官的地位没有文官的地位高。一般武官没什么单独领军指挥权，要由文官监督，同级的文官可以公然呵斥武官。

淹了，然后早布下陷坑，活捉了秦明。

且说秦明被押到清风山大厅上，花荣见了，连忙过来，亲自给秦明松绑。秦明见花荣以礼相待，火气自消了不少，又见有及时雨宋公明在山上，心里又多了几分敬佩之意。燕顺随命摆宴，招待秦明。席间，秦明喝了几杯酒，便请求告辞。燕顺道："统制领的五百军马都没了，如何还回得去？那知府肯定要加罪于你，不如就在小寨歇马，一起做个山寨头领。"秦明听了摇头，坚决不肯，他道："我秦明生是大宋人，死是大宋鬼，绝不背叛朝廷。"花荣见他态度坚决，只请他在宅内安歇一晚。秦明见众人如此礼待，当夜便在山寨歇息了。众人等他睡了，各自去行事不提。

第二天天明，花荣交还衣甲头盔，秦明披挂了，上马下山，直奔青州而来。约走了十里多路，秦明远远望见烟尘乱起，不见有一个人来往，不禁疑惑丛生。赶到青州城外，只见原来的几百户人家都被烧为灰烬，一片瓦砾场上，横七竖八地倒着无数被杀死的男男女女。秦明大吃一惊，用力打那马一下，飞马跃过瓦砾场，来到青州城门外。

秦明见城上吊桥高高拽起，高声叫打开城门。众士兵见是秦明来，都擂鼓大喊。青州知府在城墙上骂道："秦明反贼，你不识羞辱。昨夜带人马来攻打州城，烧了无数房屋，杀了许多无辜百姓，今日还敢来叫开城门。你如此不仁不义，早晚拿住你，将你碎尸万段。"秦明叫屈道："我昨夜被捉上山去，今早才得脱，何曾来打城？"知府喝道："你休要狡辩。你那厮的马匹衣甲，众人都看得清清楚楚！你休想哄开城门接一家老小，你的妻子已被杀了，首级就挂在这里。"

秦明抬头，见了妻子的头颅，又痛又气，又说不清楚。城上雨点般射下箭来，秦明只得躲了。他回马到瓦砾场上，恨不得寻死算了，心里寻思了半晌，只得纵马再往清风山而来。行不到十里路，只见宋江、花荣等人从林子里迎出来，将秦明接到清风山上。

到了厅上，宋江五人一起跪下给秦明赔礼。宋江先开口道："统制休怪！昨日为留统制在山上，夜里叫小喽啰们扮了统制的模样，由燕顺、王英助战，在青州城下杀人放火，只为绝了统制归路的念头。今日特地请罪。"秦明听了，怒气填胸。但生气归生气，事已至此，无可挽回，秦明见众人又如此爱敬，只得甘心落草。

众人又商议打清风寨一事，秦明道："这事容易。黄信是我徒弟，我去劝他归降入伙，清风寨不攻自破。"众人听了大喜。

秦明来到清风寨上，黄信见他单枪匹马前来，便放他进寨，二人到公厅上坐下。秦明将自己折了兵马，入伙清风山的事说了，又说："山东宋公明仗义疏财，谁不钦佩他？你又无老小，何不也入了伙，免受那文官之气。"黄信本也是个义气汉子，道："既然如此，黄信安敢不从？若早知道是宋江，我也将他放了。"于是黄信也归顺了，与秦明一起和宋江、燕顺等人都聚在清风山上。

梨花枪

梨花枪属于燃烧性火器，使用时将火药筒装在长竹竿的前端，利用向前喷发的火焰灼烧敌方。由于火药喷发时有如梨花飞舞，所以称为"梨花枪"。在宋代战场上，这种火器的使用频率非常高。

秦明来到清风寨，劝黄信一起入伙清风山。

第十九章

黑旋风喜遇及时雨

方天画戟

方天画戟是古代兵器。在戟杆一端装有金属枪尖，一侧有月牙形利刃，与枪尖相连。这是一种将矛和戈功能合为一体的格斗用冷兵器，既能直刺、扎挑，又能钩、啄，是步兵、骑兵使用的利器。

话说宋江、花荣等七位好汉聚在清风山上，商议此地不是久留之地，若官军大兵打来，无法抵挡。宋江提议去投靠山东梁山泊，众人听了皆都赞成。

于是大家收拾行李，烧了山寨，扮做官兵模样，分三批下山，往梁山泊而去。宋江与花荣两个领了头批人马在前面行走，路上遇到两个使方天画戟的壮士打架。两人的戟缠在一起，花荣一箭将两人兵器分开。这二人一个叫吕方，一个叫郭盛，都敬佩花荣的神箭法，遂过来拜见，也入了伙。

快到梁山泊时，宋江怕众人马一起前去，晁盖等人误会，便和燕顺先行报信。两人带了几个喽啰行了一路，来到一个酒店里歇息，宋江见只有三副大座头，自己人多，不够坐，其中一个大座头还被一个大汉先占了。于是宋江给了店家几两银子，让他请那大汉挪一挪，好让自己的人坐下喝酒。那大汉身高八尺，淡黄骨叉脸，见店家来说让他换座头，焦躁道："这也该有个先来后

宋江、燕顺等人来到一家酒店，见一副大座头已被一个大汉占了。

到,什么客人,让老爷换座头?老爷不换。"燕顺听了不乐,对宋江道:"这人好生无礼!"宋江忙把他劝住。那大汉只看着宋江、燕顺冷笑。

宋江看了石勇带来的书信,放声痛哭。

店家又陪小心,请他换地方,那汉大怒,拍着桌子道:"你这厮不识好人!欺负老爷一个,即使是皇帝来,老爷也不换。你再出声,大脖子拳不认得你!"

燕顺哪里忍耐得住,喝道:"你那汉子,逞什么鸟强?不换就不换,何故吓他?"

那大汉绰起短棒来,就要与燕顺厮打。宋江连忙将二人劝住,报出自己姓名。那大汉一听是宋江,立即拜倒。原来此人姓石名勇,正是宋江兄弟宋清派他来给宋江送书信的,不想在这里碰到。宋江将石勇扶起,接过石勇带来的书信,拆开来一看,不由得放声大哭,直往墙上磕撞。原来那信中写宋江父亲已经去世,叫他回去料理丧事。

燕顺、石勇将宋江拉住,宋江已经哭得昏迷。他半晌苏醒过来,对燕顺道:"平生只有这个老父记挂,今已没了,我得星夜赶回去。不是我薄情寡义,如今只有让你们自己上梁山去了。"燕顺劝道:"太公既已没了,即使回去,也见不到了。哥哥且请宽心,先引我们上山,然后小弟再陪哥哥归丧,也为时不晚。"宋江哪里还等得?他向店家要了纸笔,一边哭,一边给晁盖写了封书信,让燕顺等带上山去,自己飞似的赶回家去了。后面花荣等人赶来,看了书信,自去梁山泊投奔,暂且不提。

座头:指旧时酒店里的座位。一张桌子四周放几个凳子围起来叫一个座头。

宋江被刺配江州牢城，父亲
宋太公前来送行。

且说宋江星夜奔回家里，却见老父安然无恙。原来是宋太公想念儿子，又怕宋江落草为寇，故意让宋清写了那封书信，骗他回来。宋江见父亲健在，也自欢喜。

当晚，父子三人叙过天伦之乐，正要歇息。不想宋江归来的消息走漏，因杀阎婆惜一案尚未完结，县里新任的两个都头带人前来捉拿宋江。此时朱仝、雷横已被差往别处，这两个新任的都头与宋江没有交情，又急着立功，定要拿住宋江不可。宋江怕连累父亲兄弟，第二天便随他们来到县衙。

满县人听说捉拿了宋江，都念他往日的好，皆到知县面前为他说情。知县心里也帮着宋江，不为难他。此时阎婆已经病故，无人来告。宋太公又上下用钱打点，最终济州知府判宋江脊杖二十，刺配江州牢城。

当下有两个公差押送前往，宋太公前来送行，他千叮万嘱，不让宋江落草为寇。宋江答应，嘱咐兄弟照顾父亲，然后与老父、兄弟洒泪而别。

一路上，两个公差得了银两，又知宋江是个好人，并不为难他，只是服侍宋江。三人行了一日，当晚在一家客店歇息。宋江道："实不瞒你们：我们此去正从梁山泊经过，恐怕山寨上几个好汉多闻我名字，要下来夺我。我们明日起大早走，拣个小路过去，莫惊了你们。"两个公差谢过，就此商定。

方桌

方桌是桌面呈正方形的桌子，是古代家居必备家具之一。人们一般将方桌摆在室内居中位置，然后配置四个矮凳或坐墩，作为餐桌。两宋时期，一些酒店、茶楼也普遍摆放方桌，以招待顾客。

　　第二天一早，宋江便与两公差起早赶路，却在小路上遇到赤发鬼刘唐带了三五十人截住。原来梁山泊众好汉听说宋江被发配江州，分了四路在四条路上拦截，要把宋江劫上山去。刘唐要来杀两个公差，被宋江拦住，宋江坚辞不肯上山，刘唐无奈，只得请吴用、花荣前来说话。吴用得知宋江之意，笑道："兄长不留在山寨容易。只是晁头领想念兄长多时，请上山少坐片刻，便送兄长登程。"

　　宋江来到梁山泊山寨，晁盖等人接住，各自诉说想念之情。晁盖本欲让宋江留在山寨，宋江因父亲叮嘱，仍坚辞不肯。当晚只住了一夜，次日，宋江便要赶路。吴用道："江州牢城里有个押牢节级，名唤戴宗，是我的至交好友。此人颇有道术，能日行八百里，人称神行太保。我已写了一封书信在这里，兄长带去，可到那里与他做个相识。"宋江接了书信，晁盖等人拿出一些银两给宋江带上，只得送他下山了。

　　宋江与两个公差一路来到江州地界，在揭阳岭和揭阳镇上，宋江几次遇险，幸亏本地一个好汉李俊及时相救，宋江才得以死里逃生。虽一路惊险，宋江也结识了揭阳岭的李俊、李立，揭阳镇的穆弘、穆春，以及浔阳江边摆渡的张横、使枪棒的薛永等几位好汉。

节级：节级是古时衙门里的一种低级武职，职位低于提辖。节级不属于军职，而是专门管理监狱的武吏，相当于牢房里的牢头，负责缉捕、监押犯人。

吴用给了宋江一封书信，让他到江州后去找戴宗。

鲤鱼

　　鲤鱼是世界上数量最多的淡水鱼，普通鲤鱼身体呈青黄色，有两对触须，背鳍和臀鳍都有硬刺，其体表布满圆鳞，身体最长可达1米多。鲤鱼的味道鲜美，人们多捕来食用。图为昭和锦鲤。

　　宋江来到江州牢城，好施银两，又为人和气。住了半月，从囚徒到差拨，没有一个不喜欢他。宋江故意没有给做节级的戴宗交例银，引得戴宗自来见他，宋江才说明了原委。戴宗一听是宋江，又有吴用的书信，便请宋江出去喝酒。

　　两人来到一家酒馆坐下，又各自细说来情去意，心里都十分欢喜。才喝了两三杯酒，忽然店家上来，请戴宗下去劝架。戴宗下楼后，不一会儿，领上一个黑凛凛的大汉来。此汉名叫李逵，小名铁牛，又有个绰号叫黑旋风，流落在江州，由戴宗收留，做个押牢的牢子。这李逵使两把板斧，颇会些拳棍，但酒性不好，常爱打人，人多惧怕他。

　　李逵见了宋江，问道："院长哥哥，这个黑汉子是谁？"戴宗笑道："你看这厮这般粗鲁，全不识些体面。这位便是你常说要去拜见的义士哥哥。"李逵听了道："难道他就是山东及时雨黑宋江？哥哥莫要骗我，哄我拜他。"宋江答言道："在下正是宋江。"李逵一听乐了，立即下拜道："我的爷，怎么不早说，也叫铁牛欢喜。"宋江连忙把他扶起，见他爽直可爱，心里自有几分喜欢。

　　宋江与戴宗又带李逵到浔阳江边的一处酒亭上喝酒，三人重新坐定，宋江想吃鲜鱼，那酒家此时却没有鲜鱼。李逵腾地站起来道："我给哥哥讨两条活鱼来吃。"说完，不顾戴宗劝阻，

李逵敬慕宋江已久，听说确是宋江，倒头便拜。

便奔出去了。

李逵来到江边，到渔船上抢鱼，把一船舱鱼全都放跑了，众渔人都拿竹篙来打他。李逵大怒，抢过竹篙，把一群人打得纷纷乱跑。这时一个人走过来喝道："什么大汉，敢在这里打人？"李逵见他六尺五六身材，有三十二三年纪，也不搭话，抢起竹篙便打。那人夺了李逵的竹篙，却敌不住李逵蛮力，着实被李逵按在地上，打了数拳。又幸亏是宋江与戴宗及时赶来，将李逵劝住。

张顺在水里按住李逵便灌，灌得李逵直翻白眼。

那人挨了打离去，驾一条船在江边，大骂李逵。李逵被激怒，也跳到船上。那人诱李逵上来，便将竹篙一点，把船撑到江里，蹬翻船，两人都掉进水里，那人在水中揪住李逵厮打。碧波里，一个浑身黑肉，一个遍体雪白，甚是好看。那人水性极好，将李逵提起来又按下去，连按了数次，灌得李逵直翻白眼。原来此人是张横的兄弟浪里白跳张顺，有一身雪练似的白肉，水下功夫十分了得，李逵哪里是他的对手？

眼见李逵吃亏，宋江在江边着急，听说那人是张顺，忙说出他哥哥张横的名字来。张顺听了，这才将李逵提出来，上岸与宋江相见了。正是不打不相识，四人重新坐定，李逵道："你也灌得我够了。"张顺道："你也打得我好了。"李逵道："你路上休撞着我。"张顺道："我只在水里等你。"说得四人都笑了。

院长：宋代对押牢节级的一种称呼。当时，南京一带的节级，人们习惯称"家长"；而江州一带的节级，人们习惯称为"院长"。

宋江一日结识三位好汉，十分高兴。张顺又与李逵一起到江边取了几尾上好金色鲤鱼，与宋江下酒。四人坐在江边亭上，畅然饮酒，各叙胸中之事，好不快意自在。

｜第二十章｜
浔阳楼宋江题反诗

北宋酒楼壁画

画中有几位衣冠齐整的人在酒楼套间里饮酒。宋朝时期市井生活繁荣，一些大都市里酒肆茶馆林立，达官贵人、贩夫走卒等各色人等皆到这些地方饮酒歇脚。

宋江一人信步来到城外，沿江行走，来到浔阳楼前。

　　宋江在江州一日结识戴宗、李逵、张顺三位好汉，非常高兴，四人痛饮了一回。回家后，宋江又将张顺送的鲜鱼吃了，不想贪嘴吃坏了肚子，病倒在房中。周围人都来看望他，张顺为他买了一帖汤药，宋江吃了，方觉好些。宋江一连在房中将养了六七日，身体才痊愈。一天，他出门来找戴宗，没有找到，又去找李逵和张顺，那两个都居无定所，也未寻着。

　　宋江一人信步走到城外，只见那一派江景秀丽宜人。他一边行走，一边观赏，走着走着，来到一座酒楼前面，宋江抬头一看，见那雕檐外一面牌额上有苏东坡书写的"浔阳楼"三个大字。宋江看了，自语道："早听说江州有个浔阳楼，是个好去处，原来却在这里。今

日虽然独自一人，也不可错过，且上去逛逛。"于是宋江踱上楼来，拣一个靠窗的阁子坐了，凭栏举目，见那楼雕檐映日，画栋飞云，碧阑干低接着轩窗，翠帘幕高悬在户牖。整个楼似倚着青山万迭云山，登楼上可观一江浩淼烟水。

心在山东身在吴
飘蓬江海谩嗟吁
他時若遂凌雲志
敢笑黄巢不丈夫
郓城宋江作

宋江乘着酒兴，在浔阳楼的墙壁上题了一首《西江月》，后附诗一首。

　　宋江看罢，喝彩不已。酒保端上一桌菜肴美酒，他独自一个，一连痛饮了几杯。不觉有些沉醉，多少心事蓦然涌上心头。宋江自思道：我生在山东，长在郓城，学吏出身，结识了无数英雄好汉，不过只博了个虚名。如今年已三旬之上，功不成，名不就，却被刺了双颊，发配到这里。连家中老父兄弟，也不得相见。想到这里，他不禁感恨伤怀，潸然泪下。

　　真是酒能助兴，也能引人愁肠百结，宋江伤感了一回，忽作了一首《西江月》，叫过酒保拿了笔墨纸砚来，在那白粉壁上挥毫写道："自幼曾攻经史，长成亦有权谋。恰如猛虎卧荒丘，潜伏爪牙忍受。不幸刺文双颊，那堪配在江州。他年若得报冤仇，血染浔阳江口。"宋江写罢，又连饮数杯，自觉畅快，不禁狂荡起来。他手舞足蹈，又拿起笔，在那《西江月》后面又写下四句诗："心在山东身在吴，飘蓬江海谩嗟吁。他时若遂凌云志，敢笑黄巢不丈夫！"写完诗，又在后面大书五个字："郓城宋江作。"

户牖：门窗、门户。牖，窗户。

　　宋江写罢，将笔扔在桌上，再饮数杯，觉得醉了，叫过酒保来算还了酒钱，便下楼而去。他回到家里，倒在床上，一觉就睡到五更，醒后早忘了浔阳楼上题诗

黄文炳将手抄的宋江诗词拿给蔡九看。

一节。

且说江州对面有个小城，叫做无为军，城里有个闲通判，名叫黄文炳。此人虽读些经书，但却阿谀奉承，最是嫉贤妒能，比自己强的他就要加害，不如自己的他便任意要弄。这黄文炳听说江州知府蔡九是蔡太师的儿子，便刻意巴结，时常到府里来拜见，指望蔡九给他引荐，做个大官。

这日，黄文炳又带了两个仆人，买了些礼物，到知府府里探望。不巧蔡九正在招待客人，黄文炳不敢进去，只好出来。他见天气炎热，便到浔阳楼上消遣。也该宋江受苦，撞上了这个门星。黄文炳在楼上转了一圈，见壁上题诗甚多，他看了只是冷笑，后来看到宋江那首《西江月》及所附诗句，大惊道："这首不是反诗？谁写在此处？"又见后面写着"郓城宋江作"几个大字，他像得了宝似的，叫过酒保来，借笔砚将宋江的两首诗词抄好，揣在怀里带走。

第二天，黄文炳径直来到蔡九府中，拜见了蔡九。两人坐定，黄文炳询问京城蔡太师消息。蔡九道："前日家父来书吩咐：近日京城街头有小儿谣言四句：'耗国因家木，刀兵点水工。纵横三十六，播乱在山东。'想是有作乱之人，让我小心谨慎。我正为此心忧。"黄文炳听了，想了一回，笑道："此事绝非偶然，不想却在这里。"随即拿出宋江的那两首诗词，呈给蔡九。蔡九看了道："这是首反诗，那宋江是什么人？"黄文炳道："他是个牢城营里的囚徒。我想那小儿谣言，正应在此人身上。第一句'耗国因家木'，耗散国家钱粮的人，必是'家'字头下加一个'木'字，正是'宋'字；第二

象牙雕杆毛笔

毛笔是我国一种独特的传统书写和绘画工具，居"文房四宝"之首。相传毛笔为秦将蒙恬所造。在整个封建时代以至现代，毛笔都是不可替代的书写工具。

句'刀兵点水工',兴起刀兵的人,'水'边加个'工'字,正是'江'字。二者加起来正是'宋江'二字,且这宋江又写下反诗,不是他是谁?"蔡九听了点头。黄文炳又道:"此事非同小可,不可走漏了消息。恩相可急派人前去捕获,下在牢里,再行商议。"蔡九觉得有理,立即唤人前去捉捕。

当时正是戴宗当值,戴宗听了,大吃一惊。他让各差役到家里取器械,吩咐他们到城隍庙里会合,自己急忙用起神行法,来向宋江报信。

此时宋江早将浔阳楼上题诗一事忘在脑后,经戴宗提起,他才想起来。宋江一听知府要派人来捉拿他,叫苦道:"此番定是必死无疑了。"戴宗道:"我教哥哥一招。等我和公差来捉你时,你只须如此如此便可。我自替你向知府辩说。"宋江听了,急忙作谢。

戴宗吩咐完,不敢迟疑,急忙回到城隍庙中,聚集了众公差,一起又到牢营里来。戴宗假意喝道:"哪个是新配来的宋江?"有人引领众人来到抄事房,只见宋江披头散发,倒在屎尿坑里乱滚,他见了戴宗等人道:"你们是什么鸟人?"

戴宗假意喝道:"捉拿这厮。"宋江翻着白眼,乱打过来,口里叫道:"我是玉皇大帝的女婿,老丈人叫我领十万天兵,由阎罗做先锋,和五道将军一起来杀你江州这伙鸟人!"众公差见状道:"原来是个失心疯的汉子,

通判:官职名,是"通判州事"或"知事通判"的简称。宋初,为了加强对地方官的监察和控制,防止知州职权过重,宋太祖创设"通判"一职。通判由皇帝直接委派,辅佐郡政,为知州副职,有直接向皇帝报告的权力。

抄事房:明清白话小说中的方言用语,指县衙或牢营里整理文书档案的地方。

宋江装疯,披头散发在屎尿坑里乱滚。

米芾的《珊瑚帖》

北宋书法艺术繁盛，以宋四家苏轼、黄庭坚、米芾、蔡襄（当时蔡京的书法造诣很高，但后人厌恶蔡京为人，一般将蔡襄列为四大家之一）的书法成就为最高。其中苏轼之书磅礴狂放，黄庭坚之书奇异险怪；米芾以行书出众；蔡襄的笔风则平和婉丽。图为米芾的《珊瑚帖》，是米芾书法的代表作。

晁盖听说宋江被捕下狱，大惊失色。

我们拿他何用？"戴宗顺水推舟，便和众人来回复蔡九知府，说宋江原来是个患失心疯的病人。

蔡九本想作罢，黄文炳却坚持请蔡九将宋江捉来再说。戴宗无奈，只得带人将宋江提到江州府里。宋江见了蔡九，不但不跪，依然胡言乱语。蔡九正不知如何办好，黄文炳又出主意，让人重打宋江，看他是真疯假疯。宋江被打得皮开肉绽，挨打不过，只得招认道："喝醉酒，误写反诗。"

蔡九将宋江下到牢里，回来感谢黄文炳出的好计。黄文炳借机撺掇蔡九将此事报告给蔡太师，顺便提一下他的功劳，好给他谋个富贵。于是蔡九写了书信，叫戴宗送到京师。

戴宗接信后，吩咐李逵照顾宋江，自己便用起神行法，赶往东京。途经梁山泊时，戴宗来到朱贵店里歇息，朱贵不认识他，用药将他麻倒，从他的衣袋中搜到蔡九写给蔡太师的信。朱贵拆开一看，见上面写道："现拿到题反诗的宋江押在牢中，听候发落。"朱贵看罢，大吃一惊，又仔细看了戴宗的腰牌，方知他是吴用的好友神行太保。朱贵急忙将戴宗救醒，问知底细。戴宗将事情原委说了，也方知送的书信原来是要害宋江的。

朱贵与戴宗同上梁山泊，向晁盖等人说明了此事。晁盖听说宋江因题反诗被捕下狱，大惊失色，立即要调集人马下山去攻打江州，解救宋江。吴用急忙劝住道："哥哥不可造次。此地离江州路远，带人马前去，恐怕打草惊蛇，反害了宋公明性命。此事不可力敌，只可智取。"晁盖忙问用何计策，吴用道："我们只在这封书信上将计就计，写一封假回书，让戴宗带回去，只说'把犯人宋江秘密押赴东京，问明仔细，再处决示众，断绝谣言'。等他押送到此

吴用让戴宗找来萧让和金大坚，造了一封假书。

地时，我们下山去夺了，岂不是好？"众人一听，果然是好计策。

晁盖道："好是好，只是无人会写蔡京笔迹。"吴用又道："这我已经想好了。如今天下盛行苏东坡、黄庭坚、米芾、蔡京四家字体。济州城秀才萧让模仿蔡京笔迹极为逼真。还有个玉臂匠金大坚，雕一手好图书、印记。我们让戴宗前去骗这两人来一个写书，一个刻图书，然后再骗他家人老小上山，逼他们入伙，如此这般可好？"众人听了，齐声赞妙。

次日，戴宗便打扮成太保模样，前往济州城，依计将萧让和金大坚骗到梁山脚下。再由王英、杜迁等人带领喽啰们杀出来，将二人抢到山上。吴用向二人说知原委，让他们入伙，又早派人将两人家眷接了来。萧、金二人见状，只得安心在梁山上落草。

图书：口语，指图章、印章。古人写信一般要在信末尾处盖上自己的印章。

萧让按照吴用说的，模仿蔡京笔迹，写了书信，金大坚刻了蔡京的图书，一切准备停当，假信造好。戴宗算好行程的日期，便带上书信，与众人作别，径直回江州府去了。

第二十一章

梁山泊好汉劫法场

黄文炳看了戴宗带回的书信，对蔡九说信是假的。

"韩州刺史" 铜印

此铜印印文为汉字篆体阳文——"韩州刺史之印"，印背刻有"大定二年"四字，此官印仿宋、辽旧制，以铜制成。

戴宗带了假信回去后，梁山上好汉们正在饮酒，吴用叫道："罢了，这封假书，倒送了戴宗和宋公明两人的性命。"众人不知何故，吴用道："一时瞻前不曾顾后，书信中有老大一个脱卯。我们用的图书是'翰林蔡京'四字，却不曾想蔡九是蔡太师的儿子，哪有父亲给儿子写信，用自己名讳图书的？因此错了。"众人听了，也都大吃一惊。晁盖忙与众人商议如何解救宋江与戴宗，吴用又说出一条计策来。

再说戴宗带了假书信回到江州府，蔡九看了，见是父亲笔迹，并未怀疑。过了一两日，蔡九正让人打造囚车，押解宋江进京，黄文炳却来求见。黄文炳赔着笑脸，请求观看蔡太师的回信，蔡九就将书信递给他。黄文炳从头至尾看了一遍，摇头道："这封书信不是真的。"这黄文炳颇有些聪明见识，已看出吴用说的那个破绽，将原因解释给蔡九听。蔡九半信半疑，便唤戴宗进来问知底细。

蔡九问戴宗"是什么时候到的京师，又是从哪个门进的太师府，是何人接见的他"等一系列问题。戴宗心惊，只得含糊应对。蔡九听了大怒，喝道："一派胡言，这信到底是从哪里来的？你这贼骨头！不打如何肯招？

左右给我用力打这厮！"

　　戴宗被拖下去，打得皮开肉绽，血肉模糊。挨打不过，戴宗只得招道："这封书信确实是假的。小人路经梁山泊时，被一伙强人抢到山上，要杀小人。造了这封书信，强逼小人带回来。小人怕担罪责，所以瞒了恩相。"蔡九又拷问了一回，将戴宗押进大牢里。

脱卯：榫头离开卯眼。喻事物脱节或失误。

　　黄文炳又上来献计道："戴宗这厮与梁山泊勾连，必是无疑。他们谋叛为党，若不早除，必有后患。"蔡九听了点头道："我这就将这两个问成罪状，押到市曹斩首，然后再表奏朝廷。"黄文炳道："相公高见。如此一来，朝廷知道相公立了件大功，也免了梁山泊草寇来劫牢。"

　　次日，蔡九吩咐当案的孔目道："快将宋江与戴宗的供状整理好，来日押赴刑场斩首示众，以免后患。"当案的黄孔目与戴宗交好，苦于没办法救他，只拖延道："明日是国家忌日，后日是七月十五，皆不可行刑。大后日又是个忌讳日子，直到五天后，方可施行。"如此这般，蔡九便依黄孔目之言，定到第六日为行刑日期。

　　到了这天早晨，宋江与戴宗被装在两个囚车里，押

蔡九命人用刑拷打戴宗，戴宗被打得皮开肉绽。

梁山泊好汉们乔装改扮，挤到法场边上，伺机劫法场。

《清明上河图》局部

《清明上河图》是北宋大画家张择端所作，作品典型描绘了北宋都城汴梁的繁荣市井生活。北宋的一些大都市虽不及汴梁奢华，但其市井也相当繁荣。《清明上河图》反映了整个北宋时期百姓生活的面貌。

赴市曹。两人面面相觑，无言以对，街上拥挤着看的人成百上千。

到了法场，刽子手将宋江和戴宗从囚车中推出来，押到十字路口，按坐到地上，只等午时三刻行刑。这时，只见法场东边一伙弄蛇的乞丐，强要挨到法场里看，众士兵赶打不退。正相闹间，法场西边一伙使枪卖药的也要硬挤上来，士兵挡也挡不住，喝道："你这伙人好不晓事，这是什么地方？也要强挨来看。"那伙使枪棒的道："即便天子杀人，还让人看。你这鸟去处，杀两个人便闹动了世界，我们上来看一看，打什么鸟紧？"监斩官在那边喝道："快赶出去，休要放过来。"

这边相闹未了，只见法场南边又有一伙挑担的脚夫冲挤过来，也要挨到法场里看，士兵拼命挡住。那伙人便放下担子，立在人群中看。这时，法场北边又有一伙客商推两辆车子过来，定要挤到法场边上来。士兵挡住，他们道："我们要赶路程，放我们过去。"士兵道："你们要赶路，从别处去走。这里杀人，如何能放你过去？"那伙客人笑道："我们是京师人，不认得你这里鸟路，只认得这条大路。"士兵们死挡住不放，那伙客人齐齐地挨定法场不动。

只见四下里吵嚷不休，围观的人皆往里面乱挤。蔡九在马上见禁治不了，心里有些发慌。不多时，法场中间一人报道："午时三刻到。"监斩官拿起令牌命斩，刽子手举刀在手。说时迟，那时快，只见那伙客商听到一个"斩"字，其中一人掏出一面小锣，"啴啴啴"地敲了三下，四下里一齐发作起来。

宋挑担脚夫图

脚夫是专门搬运东西的劳力。北宋末年，政局不稳，战乱频繁，百姓生活困苦，一些下层劳动人民为生活所迫，只有靠出卖自己的体力来维持基本的生活。

又早见一个彪形黑大汉，手里握着两把板斧，大吼一声，从半空中跳下来。他手起斧落，早砍翻了两个刽子手，又朝监斩官马前砍来。众士兵急忙拿枪来挡，哪里抵挡得住？蔡九见势头不好，由众人簇拥着逃命去了。

再说东边那伙弄蛇的乞丐，抽出尖刀来，看着士兵便杀；西边那伙使枪棒的，大发喊声，杀上来，杀倒一片士兵狱卒；南边那伙挑担的脚夫，抢起扁担，横七竖八地打倒了一片士兵和那看的众人；北边这伙客商更没闲着，有的掏出弓箭来射，有的拿出石子来打，也有的取出标枪来标，其中早有两个钻进法场，一个背了宋江，一个背了戴宗出来。霎时间，只见法场乱成一团，那士兵与看的众人被打死、打伤的不计其数。

原来这些客商、脚夫、乞丐和使枪棒的正是晁盖、花荣、黄信、燕顺、刘唐等好汉带领一百多小喽啰装扮的，他们从梁山秘密到江州，专为救宋江和戴宗而来。晁盖见人丛中那个黑大汉，抢着两把板斧，出力最多。晁盖不认得他，猛想起戴宗说过有个黑旋风李逵，便在后面叫道："前面那好汉，莫不是黑旋风？"那大汉正是李逵，李逵也不听唤，仍是一味砍人。晁盖叫小喽啰背起宋江、戴宗跟在李逵后面

李逵手起斧落，砍翻了刽子手。

板斧

板斧属于短斧的一种，斧头呈扇形，刃阔16厘米左右，斧端有弯刺，柄长一米。一双板斧常作兵器之用，用时左右手各持一斧，其用法是抡、劈、砍、扎、削、扫等，需力大者方能使用。

晁盖等人救出宋江，众好汉在白龙庙聚义。

走。众人杀出城来，直杀到江边，无路可走，只见旁边有一座白龙神庙。

李逵第一个冲进庙里，寻那庙祝，却未寻到。众人都进庙中聚了，宋江这才与晁盖相见行礼。宋江哭道："哥哥，莫不是在梦中相会？"晁盖道："贤弟不肯上山，致有今日之苦。"宋江又叫过李逵与大家相见。花荣道："刚才我们只跟着李大哥走，如今前面大江拦住，没了去路，若城中官兵杀过来，如何迎敌？"阮小七道："远望隔江有数只船在那里，我们兄弟三个凫水过去，抢那船过来，载大家过江。"晁盖点头。

于是阮氏兄弟都脱衣下水，刚凫了半里水路，却见对面江上有三只船飞也似的摇过来，船上人都拿着兵器。众人都慌起来，宋江看时，为首的那只船头上站的不是别人，正是浪里白跳张顺。宋江大叫："兄弟救我。"张顺见是宋江，急招呼另两只船摇到岸边。

原来张顺、张横兄弟与李俊听说宋江被捕，也带领李立、童威、童猛、穆弘、穆春、薛永并十几个庄客来

劫法场，不想却在这里与梁
山泊好汉们相遇。众人一
一相见了，共是二十九位
好汉在白龙庙聚会。

正说话间，小喽啰来
报，说大队官兵军马杀奔
白龙庙而来。李逵一听，大
吼一声，提两把板斧，先冲
出庙门。众好汉一起杀出去，
将那官兵杀得尸横遍野、血染江
红。众人一直杀到江州城下，城上慌忙将城门关了。

李俊钩住黄文炳的船，纵身
跳过去，黄文炳看出不对，往江里
便跳。

众好汉回到白龙庙，一起到穆弘、穆春庄上歇息。
宋江又请众好汉去杀黄文炳报仇。因这番劫法场，闹动
了江州，无为军城里早有防备。宋江用计，赚开城门，
让几位好汉在黄文炳家隔壁放火，然后敲开大门，众人
冲进去，杀了黄文炳全家。不巧却单单少了黄文炳一
人，宋江等人心中快快不乐，自回穆家庄去了。

且说此时黄文炳正在蔡九府中商议对策，听说无为
军着火，他向蔡九借了一条官船，急急忙忙赶回来。黄
文炳乘船行到江中，见一只小船直向他的官船撞过来，
仆人大声喝叫："什么船，敢如此无礼？"那船上人道：
"城里失火，黄通判家被梁山泊好汉杀了全家。"黄文炳
一听，连连叫苦。那边船上人听到，一挠钩搭住黄文炳
的船，跳过来。黄文炳有见识，瞧出势头不对，慌忙奔
到船后，往江里便跳。水底下早又钻过一个人来，拦腰
将黄文炳抱住，劈头揪起，扯上船来。船上那大汉过来，
拿绳子把黄文炳绑了。这两人正是李俊和张顺。

庙祝：是寺庙里掌管香火的人，
一般不是出家人。古代寺庙里都
有庙祝，负责本寺烧香及来往香
客上香等事。

两人捉了黄文炳，拿到穆家庄上来。宋江亲手将黄
文炳绑到树上，大骂了一通。李逵用刀割了黄文炳数
刀，方将他杀死，为宋江解了心头之恨。

第二十二章
黑旋风怒杀假李逵

李逵见公孙胜也去探望老母，想到自己母亲，突然哇哇大哭起来。

话说梁山好汉救了宋江、戴宗，一行人又回到梁山泊上，守山的吴用、公孙胜、林冲等头领出寨迎接，众人都来到聚义大厅上。晁盖命摆下酒宴，要请宋江坐第一把交椅，宋江坚辞不受。最终还是晁盖坐了第一位，宋江坐第二位，吴用第三，公孙胜第四，其余人不论功劳大小，旧头领坐在左边，新头领坐右边。当晚众好汉开怀畅饮。

过了几日，宋江怕父亲和兄弟受自己连累，又请晁盖派人将老父和兄弟宋清接到山上来住。此时，宋太公也不得不同意宋江落草为寇。晁盖又命杀牛宰马，庆贺宋江父子团聚。席间，公孙胜思念家中母亲，提出回家看望老母。于是次日山上又摆下酒宴，为公孙胜饯行，送他下山。

公孙胜走后，饯行席散，李逵却突然放声大哭起来。宋江连忙问道："兄弟，你为何烦恼？"李逵哭道："你们这个也去取爹，那个也去看娘，偏铁牛是土掘坑里钻出来的吗？"晁盖问道："那你要怎样？"李逵道："我家里只有一个老娘，我哥哥在别人家做长工，怎能让娘过上好日子？我也要把娘接来，在这里快活度日。"晁盖点头称是。宋江却道："不好。你生性莽撞，回去

北宋青釉碗

碗是用来喝酒或吃饭的用具，一般口大底小，碗口为圆形。此碗广口微撇，以凹凸变化的轮廓曲线构成腹体。莹润的浅淡青釉上，引露着细碎的纵横交错的纹片，整体细腻含蓄，是宋代汝窑的名器。

必然有失。若叫人和你同去，你又性如烈火，必有冲撞。你又在江州杀了那许多人，哪个不认识黑旋风？如今官府捉拿你的文书早下到你原籍去，如何去得？等过几日平静了，再去接老娘不迟。"

李逵听了焦躁道："哥哥，你也太不公平。你把爹接到山上来快活，却让我娘在家中受苦，真是气破了铁牛的肚子！"宋江道："兄弟不要急躁。你要去接老娘，得依我三件事，才放你去。"李逵问道："哥哥，你说是哪三件事？"宋江道："第一，一路上不许喝酒；第二，悄悄接了老娘便直接回来；第三，你使的那两把板斧不可带去，路上小心在意，早去早回。"李逵听了道："这三事，有什么依不得？哥哥放心，我今日便走，一定早些回来。"

当下李逵扎束停当，跨一口腰刀，又提一口朴刀，带些银两，喝了几杯酒，与众人行礼，便辞别了宋江等人，奔下山去了。

李逵走后，宋江又叫过朱贵来，让他暗暗跟在李逵后面，以防李逵路上有失，好有个接应。朱贵领了吩咐，也下山去了。原来李逵是沂州沂水县人，朱贵与他是同乡，所以宋江让朱贵跟李逵去。

且说李逵离了梁山泊，直奔到沂水县界。他一路上倒真的不曾喝酒，所以没有惹事。这日，李逵来到沂水县西门外，见一群人围在那里看榜，只听人读道"正贼宋江，从贼戴宗、李逵"等语，李逵指手画脚，

北宋普通民众
宋代的经济较前代有所发展，但普通民众的生活仍相当艰辛，他们衣着简单，常面带愁容。这幅图反映了北宋百姓的普遍形象与精神面貌。

李逵提了朴刀，辞别晁盖、宋江等人，风风火火下山去了。

剪径：指拦路抢劫。见于早期
白话。古代剪径的强盗多在山
口、丛林等地埋伏，打劫来往
行人。

不知如何是好。忽然一个人抢上前来，将李逵抱住，口里叫道："张大哥，你在这里做什么？"李逵扭身一看，却是朱贵。他问道："你怎么也来到这里。"朱贵道："你且跟我过来说话。"

朱贵将李逵拉到一个酒店的僻静房里坐下，指着李逵道："你好大胆，那榜上明明写着赏三千贯钱拿你，你还敢在那里看榜！宋江哥哥怕你路上惹事，叫我后面赶来探听你的消息。我比你晚下山一天，倒比你早到一日，你为何今日才到这里？"李逵道："只因哥哥不让我喝酒，所以走得慢了。你如何认得这个酒店？"朱贵道："这酒店是我兄弟朱富家里。我原来也在这里住，后来做生意失了本钱，才到梁山上落草。"说完，又让朱富出来与李逵相见。李逵见已来到朱贵家里，吵着要喝酒，朱贵也不敢拦他，由他去喝。

李逵当晚喝了许多酒，又吃了些饭食，直到五更时分，才起身到自己家百丈村去。朱贵吩咐道："不要从小路去，走东边大路，快接了母亲来，我和你同回山寨。"李逵却道："走大路多麻烦。我从小路去，岂不近些？"朱贵道："小路多有大虫，又有乘势夺包裹的剪径贼人。"李逵道："我怕什么鸟？"说完，也不听劝，便提了朴刀，别了朱贵、朱富，朝小路走去。

李逵约走了十几里路，天色微明，只见前面有五十多株大树丛杂。李逵刚走到树林旁边，从树后跳出一条大汉，喝道："聪明的留下买路钱，免得夺了包裹。"李逵见那人穿一领粗布

朱贵将李逵拉到兄弟朱富的酒店里，与他说话。

袄，手里拿着两把板斧，脸上涂了黑墨，和自己模样差不多，大声喝道："你这厮是什么鸟人？敢在这里剪径！"那汉道："说出姓名来，吓碎你的胆，老爷叫做黑旋风李逵。你留下买路钱，便饶你性命。"

一个假李逵截住李逵，索要买路钱。

李逵听了大笑道："你这厮是什么人？哪里来的？也学老爷名目，在这里胡行！"说着，挺起朴刀，便朝那汉奔过来，那汉哪里抵挡得住？转身要走，早被李逵一刀搠在大腿上，搠翻在地。李逵一脚上去，踏住那汉胸脯，喝道："认得老爷吗？"那汉在地上求饶，李逵道："老爷正是江湖上的好汉黑旋风李逵，你这厮辱没了老爷名姓。"那汉道："小人虽姓李，不是真的黑旋风。只因爷爷江湖上有名目，神鬼也怕，故此盗学爷爷名目，胡乱在此剪径，只为得些钱财，实不敢害人。小人名叫李鬼，就在前村住。"

李逵道："你这厮无礼，在这里夺人包裹，坏我名目，先吃我一斧。"说着，夺过斧子来要砍。那李鬼慌忙叫道："爷爷杀我一个，便是杀我两个。"李逵听了住手，问是何故。李鬼道："小人本不敢剪径，只因家中有个九十岁的老母无人赡养，才在这里夺些单身客人的包裹。爷爷若杀了小人，家中老母必然饿死。"

李逵虽是杀人不眨眼，听了这话却寻思道：我是特地来接老娘的。若杀了这个养娘的人，不合天理。罢

野花

野花多是开在漫山遍野的小花，随着大自然的季节变化自然生长，自然凋零。它们多是默默无名者，但相对于那些娇贵的名花，也别有一番韵致。古代女性也会将野花插在头上以作装饰。

李逵来到两间草屋前，让那女主人做点饭吃。

宋代妇女烹饪砖雕

北宋时期，普通家庭妇女主要从事耕种、做家务等劳动，在厨房里进行烹饪是其日常工作的一部分。

了，放了这厮吧。于是李逵放李鬼起来，不许他再在此剪径，并给了他十两银子，让他回去改恶从善，赡养老母。李鬼接了银子，千恩万谢地去了。

李逵见李鬼走了，自笑道："这厮撞在我手里。既然他是个孝顺的人，回去必定改业，不再干这种勾当。我若杀他，天地也不容我。我走我的路吧。"

李逵又在山间小路上走了一阵，行到巳牌时分，肚里又饿又饥，不见有一家酒店。正走之间，忽见远处山坳里露出两间草屋，李逵见了高兴，急忙奔过去。来到草屋前面，只见一个妇人插一簇野花，涂一脸胭脂红粉从后面走出来。李逵上前道："嫂子，我是过路客人，肚里饥饿，寻不着酒店，我给你一贯钱，请你给我做些酒饭吃。"那妇人见李逵这般模样，不敢说没有，只得答道："酒是没有，饭可以给客人做些。"李逵听了道："也罢。只做些饭来也行，肚里正饿得慌。"妇人又问道："做一升米可够吗？"李逵道："做三升米来。"

那妇人自到厨房烧起火来，然后到溪边淘米，淘好做饭。李逵在前屋里坐了一会儿，转到屋后山边净手，只见刚才那汉子李鬼歪歪斜斜地从山后走来。李逵忙转到屋后躲了，那妇人正开后门，见了李鬼道："你从哪里闪了腿来？"李鬼应道："你不知道，我险些儿和你见不着面了。刚才在林边剪径，好容易等了一个单身客人过来，没想到撞上的正是那真李逵。可恨那厮，我敌不过他，被他搠了一刀在腿上。他定要杀我，我假意说家中有九十岁的老母要赡养，他才放了我，又给我十两银子做本钱，让我改业。我怕那厮反悔，躲在林子里的僻静处睡了一会儿，才回家来。"

那妇人听了道："不要高声。刚才来一个黑大汉到咱家中，要我做饭给他吃，莫不正是那李逵？如今他在门前坐着，你去看一看是不是他。若是那厮，你去寻些麻药来，放在菜里，将那厮麻翻了，我们对付了他，谋他些金银，搬到县里做些买卖，岂不比在这里剪径强？"

这两人在这里说话，不曾想被李逵全部听了去。李逵是个急性子，哪里还忍耐得住？他自语道："这鸟厮，我给了他十两银子，又饶了他性命，他倒来害我。真是情理难容！"说着，一转身跳到后门边。李鬼正要出门，被李逵一把揪住。那妇人见了，慌忙向前门便跑。李逵捉住李鬼，按翻在地，不等他出声，抽出腰刀，一刀将他杀了。

李逵拿刀奔到前门寻那妇人时，那妇人已跑得不见踪影了。李逵再到屋里来，见两个竹笼里盛些旧衣裳，底下搜出些散碎银两并几件钗环首饰，李逵都拿了，又去李鬼身边搜出那锭银子，一起揣进自己包裹里。李逵又到厨房里看，见那米饭正好做熟了，自己盛在碗里，吃了许多。

李逵吃饱后，将李鬼的尸首拖到屋下，放了把火，提了朴刀，便又投山路里去了。

手镯

手镯是戴在腕部的环形装饰品，多用金、银或玉石等制成。此手镯是由金片盘绕成螺旋状而成，共有十一节，是古代贵族妇女的首饰。

"李逵捉住李鬼，按翻在地，不等他出声，抽出腰刀，一刀将他杀了。"

第二十三章
沂岭山李逵杀四虎

宋《耕织图》

此图描绘了宋代农民耕种的场景。北宋末年，百姓生活负担沉重，许多佃户没有耕牛或农具，需向地主租赁，他们大多都要把收获的六成以上的农产品交给地主。

李逵背着老母，趁着夜色奔进山间小路。

李逵杀了李鬼，在李鬼家吃饱后，直奔到百丈村自己家中，他推开门走到里面，只听娘在床上问道："是谁来了？"李逵看时，见娘双眼都瞎了，坐在床上念佛，他喊一声："娘，铁牛回来了。"娘听了道："我儿，你可是回来了。你走了这么多年，在哪里安身？娘时常想你，哭得眼睛都瞎了。你这几年都在做什么？"李逵不敢直说，只道："铁牛如今做了大官，特地来接娘去住。"他娘听了非常欢喜。

正在此时，李逵给财主家做长工的哥哥李达回来了。李逵忙上前拜见，李达见了他却骂道："你这厮回来做什么？又来连累人？"娘说李逵做了大官，李达听了怒道："娘啊，休听他胡说。当初他打死人，叫我披枷戴锁，受了许多的苦。如今他又上梁山做了强盗，官府正出三千贯钱拿他，这厮不死，却跑到家里来胡说八道。"李逵道："哥哥不要焦躁，你和我同上山去快活，不是好吗？"李达大怒，本要打李逵，又怕打不过他，一转身走了。

李逵见哥哥气冲冲地走了，想他一定是去报官，便从腰包里掏出一锭五十两的大银，放在床上，对娘道："娘，我背你走，咱们去过好日子。"然后不管他娘同不同意，背起来，提

了朴刀，出门往小路
上便走。当时
天色已经晚
了，李逵怕哥
哥领人赶来，
背了娘只管往
乱山小路里
走。李达果然
到财主家，叫了十
几个庄客回来捉拿李
逵，但他见了床上的银子，也就作罢。

李逵来到一个洞口边，见两
只小老虎在啃一条人腿。

　　李逵背娘赶到沂岭下，翻过这道岭，前面才有人
家。娘儿两个，一步步走上岭来。娘在背上道："我儿，
娘渴了，你给我讨口水来喝。"李逵本想翻过这道岭，见
到人家，再给娘找水。无奈老娘渴得厉害，直要水喝，
李逵只好把娘放在松树边一块大青石上，将朴刀插在一
侧，然后自己去找水。他听到远处有溪涧声响，便循声
走过去，转过两三处山脚，来到那涧边。

　　李逵自己喝了几口水，然后东张西望找盛水的器
具。他找了半天，见远处山顶上有个庙庵，便爬上去，
将庙里的石香炉磕下来，拿到溪边洗干净了，然后舀了
半香炉水，双手捧了，沿旧路走来。

　　李逵磕磕绊绊地回到松树边，见石头上没有了娘，
只有那把朴刀插在那里。李逵心里着慌，连声叫娘喝
水，无人答应。他丢了香炉，定住眼四下里仔细观看，
不见娘的踪影。李逵在四周转悠一圈，见草地上有一团
血迹，心里更慌，循着那血迹，直寻到一处大洞口边。
李逵见两只小老虎正在那里啃一条人腿，心下想道：那
鸟大虫拖的那条人腿，不是我娘的是谁的？我从梁山泊
回来，特地来接娘上山，千辛万苦背到这里，却被你吃

鱼耳香炉

　　香炉是我国最常见的器物之
一，不但是寺庙中的佛门法物，也
是普通民众家庭中必备的供具。
图中小炉，唇微卷，直口稍撇，腹
上削下圆，双鱼形耳，是宋代哥窑
制品。

李逵顺势一刀，正中老虎的咽喉。

在侦查猎物的老虎

虎是独居动物，通常是单独生活，单独狩猎。虎主要在夜间觅食，它们能够悄无声息地接近猎物，然后进行偷袭。捕捉到猎物后，虎可以用锋利的牙齿将猎物撕碎。

了。李逵心里想着，怒火顿起，挺起朴刀，朝那两只小虎搠去。两只小虎张牙舞爪地钻过来，李逵举刀，先搠死了一个，另一只吓得钻进洞里。李逵赶进去，将这一只也搠死了。

李逵伏在老虎洞里向外张望，只见一只母老虎向洞口窝边走来。李逵心里道：正是你这业畜吃了我娘。随即放下朴刀，将腰刀抽出来。那母老虎没有发现李逵，走到洞口，拿尾巴向窝里一剪，后半身便坐过来。李逵看得仔细，把刀朝老虎尾底尽力一戳，正中那老虎的肛门。李逵使得劲大，那把刀直戳到老虎肚子里去了。

那母老虎疼得大吼一声，带着刀，往涧边蹿去。李逵提了朴刀，从洞里赶出来，见那老虎负疼，直蹿下山岩去了。李逵还要再赶，忽见树边卷起一阵狂风，星光月辉之下，又跳出一只吊睛白额大虎来。那虎大吼一声，见了李逵，猛地扑过来。李逵不慌不忙，将身一躲，趁着那虎扑来的势头，手起一刀，正中老虎的咽喉。这一刀下去，老虎不再扑展，退后五六步，只听一声巨响，便倒在岩下死了。

李逵一气杀了一家四只老虎，又到虎窝边寻了一回，见没有了大虫，方才觉得困乏了，他走到山顶那庙里，睡到天亮。第二天一早，李逵收拾了亲娘的两腿及剩下的骨殖，拿布衫裹了，埋在庙后，大哭了一场。

李逵哭罢，收拾包裹，慢慢走下岭来。岭下有六七个猎户在收拾窝弓、弩箭，见李逵满身血污地走下来，都吃了一惊，问道："你这客人莫非是山神土地，如何敢独自过得岭来？"李逵不敢说出真实姓名，只说是过路客人，因娘被老虎吃了，遂杀了岭上四只老虎。这些猎户正为老虎害人难以捕捉发愁，听了此话，更是吃惊，随李逵来到岭上，见四只老虎真的都被杀死，个个欢喜。他们急忙派人报知里正，并将李逵请到一家大户曹太公庄上，盛情款待。

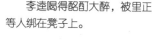

里正：古时乡官。唐宋时每百户人家为一里，五里为乡。每里置里正一人，负责管理本里事务。

李逵一人杀死四只老虎的事，一时轰动乡里，远近人家，男女老幼，都到曹太公庄上看那老虎与打虎的壮士。李鬼的老婆自那日逃了，躲在前村爹娘家，也夹在众人之间看虎。她见了李逵，认出是黑旋风，便让爹娘报与里正。里正等人一听是反贼李逵，知此事非同小可，便与曹太公设下一条计策。

这日，曹太公设宴招待李逵，十分热情。几个大户与里正轮番把盏，只顾劝李逵喝酒。李逵此时早忘了宋江的嘱咐，接过酒来就喝，一杯冷，一杯热的，没两个时辰，便被灌得酩酊大醉。众人将李逵放翻在一条板凳上，连板凳一起绑了。

里正带人飞也似的报知县里。知县闻知大惊，急忙唤过厅下都头李云，让他秘密将李逵押到县里，不要惊动了村坊。李云当下点了三十多个士兵，往沂岭村而来。

沂水县是个小地方，哪里遮掩得过？不一时，街市上早哄动了，都讲道："拿了闹

李逵喝得酩酊大醉，被里正等人绑在凳子上。

云龙纹金酒注

此酒注为直口，粗颈，方腹，圆筒形高圈足，制作异常华贵精美。酒注是用来温酒的酒具。喝酒时，将酒注置于大碗内，碗中再注入热水，就可以十分方便地加热注中之酒了。

江州的黑旋风李逵。如今李都头去押来。"朱贵在兄弟家里听到这个消息，慌忙找朱富商议。朱贵道："这黑厮又闹出事来，若不救他，回去无法向公明哥哥交代，这可如何是好？"朱富道："大哥不要慌。那李云有一身好本事，平日与我关系最好，时常教我些枪棒刀法。我有一个方法对付他，只是以后不能在这里安身了。"当下朱富说出一番计策来，朱贵听了大喜，立即叫兄弟去准备，并收拾了家中金银细软，让一家老小起身，都准备上梁山泊去。

第二天一早，李云带众士兵并里正、庄客等人押着李逵出了沂岭村，来到一处僻静山路。朱贵与朱富早准备下两担酒肉等在路口，见李云等人到了。朱富上前拦住道："贺喜师父，小弟来给你送些酒食。"说着，斟一大杯酒，来劝李云。李云慌忙从马上跳下来，说道："贤弟，何劳你如此远接？"接过酒杯来，却是不喝。朱富跪下道："小弟知道师父不饮酒。今日这个喜酒，也饮半盏。"李云见朱富如此客气，盛情难却，只好将酒杯放在嘴边，略沾了两口。朱富又拣了两块好肉，递上来请李云吃，李云也只得勉强吃了。朱富又向里正并那些大户、猎户们劝酒，每人饮了三杯。然后朱贵招呼那些士兵、庄客们都来喝酒吃肉，这众人见有酒肉，不管不顾，上来吃了个干净。

李逵双手被绑着站在一边，见朱贵、朱富两人的形色，早看出几分，故意吵着也要喝酒。朱贵假意骂他。李云等大家吃完酒食，喊叫赶路。这时，只见众人都走不动路，全跌倒在地上。李云也跟着倒

朱富将下了蒙汗药的酒肉拿给李云并士兵们吃。

了。李逵见状，来了精神，大吼一声，将绳索都挣断了。他夺过一条朴刀来杀李云，朱富拦住道："不要害他。他是我师父，为人最好，你先走你的路。"李逵提刀去杀了曹太公与里正并李鬼的老婆，杀性起来，又把那三十多个士兵全搠死在地上，再去赶那些看的人。朱贵喝道："不关百姓事，不要胡乱杀人。"李逵方才住了手。

朱贵兄弟与李逵三人提刀要往小路上走，朱富停下道："不好，我送了师父性命。他醒来，知县必定怪罪他。我等他醒来，让他一起上山入伙。"朱贵便让李逵和朱富一起在路边等，自己先去照顾家中老小上山。

且说李云醒来，要跟李逵打斗。朱富劝道："师父听我说，如今杀了这许多士兵，又走了黑旋风，你如何回去向知县交代？不如和我们一起上梁山，投奔宋公明去，到那里安身吧。"李云寻思了半晌，也自知知县要怪罪他，性命难保，便叹了口气道："只怕那里不肯收留我。"朱富笑道："天下谁不知道及时雨爱结交好汉，师父何用担心？"说着，拉了李云便走。李逵见李云肯上山，也乐了。三人赶上朱贵，一起往梁山泊而去。

朱富劝说李云入伙，李云无奈，只得答应一起上梁山落草。

石刻镇墓俑

这是在宋代石墓遗址出土的镇墓俑，为宋代官府差役。此系列俑反映了宋代官府差役的典型形象。

第二十四章
翠屏山杨雄杀妻

石秀路见不平，打倒了几个泼皮，为杨雄解了围。

李逵、朱贵带兄弟朱富并李云上了梁山，拜见了众位头领，在山上安身，暂且不提。且说晁盖一日念起公孙胜下山探母，许久不归，便让戴宗下山打听消息。

戴宗来到蓟州，结识了锦豹子杨林，两人性情相投，一路行走，共同寻访公孙胜。一日，戴宗二人在蓟州城街上，见一群人敲锣打鼓，簇拥着一个人过来。只见那人生得两眉入鬓，凤眼朝天，气度不凡。此人姓杨名雄，河南人氏，在蓟州做两院押狱，并充作市曹行刑刽子手。因他有一身好武艺，又面色微黄，人都称他病关索。

今日，杨雄正从市曹处决人犯回来，众相识都为他披红贺喜，送他回家。一伙人行到路口，有七八个泼皮撞出来挡住去路，为头的那个叫踢杀羊张保，他是蓟州的守城军士，欺负杨雄是外乡人，来抢杨雄的花红缎匹。杨雄被几个人围住，拖脚拽手，施展不开武艺。

正在此时，一个挑柴的大汉放下担子，上前来解劝。那张保喝道："你这饿冻不死的乞丐，敢来多管？"那汉大怒，劈手将张保一提，一跤摔翻在地上。其余几个帮闲正要动手，都被那大汉一拳一脚，打得东倒西歪。张保见势头不好，爬起来就跑，杨雄从后面追过去。

宋代小工商业者砖雕

此砖雕上雕了一个挑着货卖担子的小商业者形象。宋代时，工商业发达，出现了许多大城市。城市经济繁荣，大批的手工业者和中小商人涌进市里，成为城市中市民阶层的一部分。

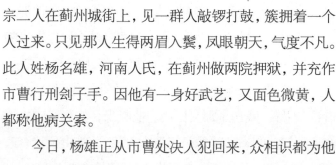

戴宗和杨林在旁边看了喝彩，上前来邀住那大汉，一起到酒馆喝酒。原来这大汉名叫石秀，金陵人氏，最好打抱不平，人称拼命三郎。石秀随叔父出乡贩马，不想叔父半路亡故，自己消折了本钱，流落到蓟州城靠卖柴度日。三人互通了姓名，义气相投，说起上梁山落草之事。正说话间，杨雄领一群公差来找石秀，戴宗与杨林见都是衙门里的人，便趁乱走了。杨雄上来拜谢石秀，两人这才互道了姓名，彼此互相敬重喜爱，结拜为兄弟。杨雄年长为兄，石秀为弟。两人又在酒馆里喝了一回酒。

喝酒罢，杨雄带石秀回家，叫妻子潘巧云出来与石秀见礼。这潘巧云生得体态风流，十分娇媚。石秀口称嫂嫂，上前拜了四拜，潘巧云还礼。当下杨雄便叫人收拾出一个房间，让石秀在家里住下。不久，杨雄的丈人潘公约石秀共同开了个屠宰作坊，一家人都十分欢喜。自此，杨雄每日到衙里听差，石秀便和潘公在家做买卖。

不觉过了两个多月，时值残冬，石秀到外县买猪，三日后才回来。他见肉店里收拾了家伙刀杖，不再做生意，以为是要赶他走，便来与潘公辞行。潘公看出他的心意，笑道："叔叔不要多心。这两日没有开店，是因小女要开个道场，给亡人做些功德。"原来那潘巧云之前嫁过本府一个王押司，那押司不幸去世，才又嫁给杨雄为妻。如今正是那押司去世两周年，所以潘巧云要请些僧人来做个道场，超度亡灵。

且说到了做功德这日，报恩寺的僧人来家里铺设坛场，摆放佛像、供器、香花、

宋代褶裙

此褶裙是为宋代贵族妇女所用。宋代褶裙有6幅、8幅、12幅之分。一般多褶裥，裙子的纹饰，或作彩绘，或作染缬，或作销金刺绣，或缀珍珠为饰。样式与色彩繁多，一般以黄色为贵。

石秀拜见杨雄的妻子潘巧云。

茶盏

宋代饮茶，盛行用茶盏。茶盏又称茶盅，实际上是一种小型茶碗，因容积小，有利于保持茶叶的香气。用茶盅喝茶，比大茶碗更能品出茶的香味。

灯烛等一应器物。杨雄吩咐石秀道："贤弟，我今夜要当值，不能在家，凡事请你一力维持。"石秀答应一声，让杨雄放心。

杨雄走后没多久，石秀在门前照管，见一个眉清目秀的和尚走来，提了些礼物，见了潘公叫声"干爹"，十分热情。那潘巧云从楼上淡妆轻抹地下来，见了那和尚，堆出十分笑容，口称"师兄"。这和尚是报恩寺的僧人，名叫裴如海，人唤海和尚，曾拜潘公为干爹，是个专爱勾引良家妇女的角色。石秀早看出两人几分颜色，便在布帘里张望。

只听潘巧云与那和尚客套了一番，又道："师兄，我那亡夫的事不用太过计较，只是多为我母亲念几卷经便好。"和尚道："贤妹放心。凡是吩咐如海的事，小僧自去办来。"这时，丫环捧出茶来，潘巧云先端起一盏茶，拿手帕在茶盅上抹了抹，才递给和尚。那和尚笑眯眯地接了，两只贼眼只顾盯着潘巧云看，潘巧云也笑嘻嘻地看着那和尚。

这两人只顾在这里眉来眼去，不防石秀在帘里都瞧见了。石秀暗自想道：我把她当亲嫂嫂看待，原来这婆娘却不是个良人。莫叫撞在石秀手里，否则定替杨雄哥哥出头。

到了晚间，报恩寺的僧人都来到道场，海和尚和另一个年纪相仿的和尚做阇黎，摇动铃杆，发牒请佛，众僧人开始念经。潘巧云穿一身素装出来拈香礼佛，

潘巧云与和尚裴如海眉来眼去，被石秀在布帘里看见。

海和尚与她不住地眉目传情，暗送秋波。这一切，石秀都看在眼里，气在心头。

第二天，潘巧云便以为母亲还愿为名，和潘公上了报恩寺，海和尚借机和她勾搭在一起。两人商定凡杨雄夜间不在家时，潘巧云就让丫环迎儿在院里烧香为号，让海和尚收买个头陀在杨雄家巷口敲木鱼叫佛，通知他前来幽会。自此之后，两人顺利勾搭成奸。

杨雄夜晚喝得大醉，回家醉骂潘巧云。

石秀是个聪明人，他见夜里时常有头陀叫佛，便觉得蹊跷，很快发现了海和尚夜间来与潘巧云幽会的行踪。他替杨雄叫屈，便将此事告诉了杨雄。杨雄听后大怒，要找潘巧云算账，石秀劝住他，让他晚间捉得奸情再说。杨雄忍住气，和石秀喝了一回酒。到晚上，杨雄喝得大醉，回家后见了潘巧云，想起石秀所说之事，便骂道："你这贱人！早晚我要结果了你。"潘巧云吃了一惊，不敢回话。杨雄又骂道："你这贼贱人，腌臜泼妇！那厮竟敢老虎嘴里讨口水，我不会轻易放过你！"那潘巧云是个心头伶俐的人，听了这话，更不敢喘气，服侍杨雄睡下。

第二天一早，杨雄酒醒，见潘巧云坐在床边，眼泪汪汪地叹气。杨雄问是何故，潘巧云哭道："当初我嫁给王押司，谁想他半路抛下我去了。今日嫁得你这样豪杰好汉，却不与我做主。自从你认了那个石秀到咱家来，他就时常趁你不在时，动手动脚地用言语调戏我？"原来夜间杨雄醉酒骂她，她已明白杨雄听到了风声，故此装出一副委屈的样子，将脏水泼到石秀身上。

阇黎：佛教用语，是阿阇黎的简称。指高僧，意为众人的典范。后也泛指僧人。

石秀将海和尚按倒在地，举刀杀了他。

这一招果然管用，杨雄听了大怒，以为是石秀故意栽赃别人，遂让潘公拆了肉铺，要将石秀赶出去。石秀看出情势，便离了杨雄家，自己到外边租一间房住下。他寻思道：杨雄与我结义，他不明就里，我不能让他白送了性命。

石秀探听好杨雄当夜又去衙里当值，便睡到四更，拿了把解腕尖刀，悄悄来到杨雄家巷口。他藏在黑影里，见一个头陀在那里探头探脑，便赶上去，一把扯过来，将刀抵在他脖子上。那头陀吓得不敢挣扎，只求饶命，石秀问道："海和尚如今在哪里？"头陀道："正在杨雄家里睡着，等五更我敲木鱼叫佛，唤他出来。"石秀听了，一刀将那头陀杀了，剥了他外面衣服，自己穿上，大敲起木鱼来。那海和尚在床上听到，果然从后门里出来。石秀等他走到巷口，上去一把将他放翻在地，喝道："不许高声，否则杀了你。"那海和尚认出是石秀，哪里还敢挣扎？石秀把他全身衣服都剥了，然后悄悄抽出刀来，三四下便将他搠死了。

石秀杀了二人，却把刀放在头陀身边，卷了两个人衣服，悄悄回到自己家里睡下。第二天，早有人发现尸首，报告给知府，满蓟州城都轰动了。杨雄在衙里听说此事，明白是自己错怪了石秀，想到定是石秀杀的那和尚和头陀。于是杨雄来找石秀，石秀将海和尚和头陀的衣服拿出来给他看，让他将潘巧云骗到东门外的翠屏山上问明真相。

杨雄依照石秀的计策，回家并不声张。次日天明，

宋代刀具

这些刀都是宋代的普通刀具，属于配在腰间的短刀。在古代，男子佩戴腰刀是一种常见的现象，可用于防身，也可用作装饰。其腰刀形制、材质的不同也在一定程度上代表了主人的身份地位的不同。

他对潘巧云说一起到岳庙烧香,借此将潘巧云和丫环迎儿骗上翠屏山。三人一起到了山上一座古墓旁,石秀早在那里等候,潘巧云见了,吃了一惊。石秀将海和尚和那头陀的衣服拿出来,潘巧云见了,红了脸,无言以对。杨雄揪过迎儿来,喝叫她实说,迎儿害怕,只得将夜间如何烧香为号,如何让头陀敲木鱼叫佛,引海和尚到家里与潘巧云幽会的经过说了。

杨雄又质问潘巧云,潘巧云无法狡辩,也只得从实说了。杨雄亲自割了两条裙带,将她绑在树上,先挥刀杀了迎儿,然后指着潘巧云骂道:"你这贼贱人,瞒我做出丑事,又坏我兄弟情分,我且看看你的心肝是怎样长的。"骂完,一刀将潘巧云杀了。

石秀见杀了二人,此地不能久留,便与杨雄商议,一起投奔梁山泊落草。

宋代背子

背子是一种女式服装,有花边做装饰,有的领子直通到下摆,有的领子只到胸部。在宋代服装中,背子深受妇女们的喜爱,不但美观,而且穿起来方便。

杨雄将潘巧云绑到树上,拿刀要杀她。

金花银靴

此靴用薄银仿照实物制成，为随葬的冥器。中国古代很早就有随葬的习俗，历代统治者或达官贵族在人死后，将许多贵重的物品一起葬在墓里。这也引起了历代盗墓的现象。

|第二十五章|

祝家店时迁偷鸡

杨雄杀了潘巧云和丫环迎儿后，正要和石秀一起下山，忽听松树后走出一个人道："清平世界，朗朗乾坤，你们把人杀了，却投奔梁山泊去入伙，我已经在这里听了多时了。"两人听了，吃了一惊，回头看时，那人却过来向杨雄拜倒。杨雄一看，认得此人。这人姓时名迁，诨名鼓上蚤，高唐州人氏，流落在此，专爱做些飞檐走壁的勾当，曾在蓟州府里吃官司，是杨雄救了他。

杨雄见是时迁，问道："你怎么在这里？"时迁道："我到这山上，想寻古墓掘些东西。却见哥哥在此行事，不敢出来冲撞。刚才听两位哥哥说要去梁山入伙，故此小弟才出来，想跟你们一起去。"石秀道："既是好汉，他那里也不多你一个，就一起去吧。"三人便一起下山，一路往梁山泊奔走。

他们很快离了蓟州府，夜住晓行，不久来到郓州。这日黄昏时分，杨雄三人行到一座山前，见前面靠溪处有一家客店，便走进去。

杨雄、石秀正要下山，时迁从背后出来，将两人叫住。

店小二正要关门，见他三人进来，便安排他们在客房里安歇。三人坐定，要酒肉来吃。那小二说肉已经卖完了，只剩下一瓮酒。三人只好坐下来喝酒，并请小二一起来喝。杨雄掏出一支珠钗，先算还了酒钱。

石秀见店中屋檐下，插着十几把好朴刀，便问道："这里为何有这些军器？"

杨雄、石秀喝了一回酒，时迁笑嘻嘻地去灶上拎出一只煮熟的鸡来。

小二道："都是主人留下的。"石秀又问他主人是谁，那小二笑道："江湖上走的人，多知道这里的名字。前面那座山，唤做独龙山，山前的冈子叫做独龙冈，我主人家便在那上面住。这方圆三十里都叫做祝家庄。庄主太公祝朝奉有三个儿子，称祝氏三杰。这庄前庄后有六七百户人家，各家都分有两把朴刀。我这里叫祝家店，主人家常有人来，故此放朴刀在这里，以防备梁山泊贼人。"石秀听他说了这一大通话，又请他喝酒，那小二先前已喝了几杯，告辞歇息去了。

杨雄、石秀又喝了一回酒，只见时迁问道："哥哥要吃肉吗？"杨雄道："店小二说没有肉了，你又哪里弄肉来？"时迁嘻嘻笑着，去灶上提出一只煮熟的公鸡来。杨雄问道："哪里弄来的鸡？"时迁道："刚才小弟去后面净手，见这只鸡在笼里，便悄悄拿去溪边杀了，在灶上拔了鸡毛，煮熟了给哥哥下酒吃。"杨雄道："你这厮还是这般贼手贼脚。"石秀笑道："还不改本行。"三人笑着，把鸡撕开吃了。

那店小二略睡了一会儿，放心不下，又爬起来前后

鎏金菊花纹银钗

此钗为银质，通体鎏金。是古代女子头上的饰品。钗头像两扇蝶翅，上面镂空飞蝶和菊花形花纹。其纹饰华美，做工精巧，显示出高超的工艺水平。

店小二发现店里的鸡被偷了，与杨雄、石秀、时迁三人争执起来。

公鸡

公鸡有天亮时打鸣的习性，古时没有先进的计时工具，人们常养鸡用以报晓。

照管，他见厨房里有鸡毛和鸡骨头，再到笼里一看，不见了鸡，连忙出来道："客人，你们好没有道理，为何偷吃了我店里报晓的公鸡？"时迁道："见鬼了。我们在路上买得这只鸡来吃，何曾见你的鸡？"小二道："我店里的鸡，好好的不见了，不是你偷了是谁？"时迁还待争辩，石秀道："不要争，值多少钱，我们赔你便罢。"小二道："我的是报晓的公鸡，店里少不得它。你陪我十两银子也不济事，还我鸡来。"石秀听了怒道："你瞎诈唬什么？老爷不赔你，你能怎样？"小二笑道："客人，不要在这里讨野火吃，我这里不比别的店里，拿你到庄上，便做梁山贼寇处置。"石秀听了，大骂："我们便是梁山好汉，看你怎么拿了我去？"杨雄也怒道："好意赔你钱，你倒要拿我们。倒要看看你怎样拿法？

小二叫了一声："有贼！"只见忽地从店里蹿出四五个大汉来，直奔杨雄和石秀。石秀见状，舞动手脚，一拳一个，都打翻在地。店小二正待要叫，被时迁一巴掌打肿了脸，作声不得。那几个大汉都从地上爬起来，从后门走了。杨雄道："他们一定是去报信了。我们赶快走罢。"三人当下扎束停当，跨了腰刀，各去枪架上拣一把好朴刀，起身要走。石秀道："左右都是如此，不可放过他。"便去灶前寻了把草，点着了，将那酒店草房烧了个干净。三人这才往大路走了。

约走了两个更次，杨雄等人见前后火把通明，约有一二百人，喊天动地地赶过来。石秀道："不要慌，我们拣小路走。"但顷刻间，四下里的庄客将三人围在当中，杨雄挺起朴刀，砍翻了五六个，石秀也赶上去，戳倒了六七个。其余庄客见杀伤了十多个人，都奔走逃命。

杨雄三人赶一步，走一步。正走之间，只听喊声又起，枯草丛中伸出两把挠钩来，正把时迁钩住，拖到草窝里去了。石秀正待转身去救时迁，身后又伸出两把挠钩，要钩石秀，幸好杨雄眼快，一刀将挠钩拨开，拿朴刀向草窝里乱戳，潜伏在草中的人才走了。

杨雄、石秀两人见时迁被捉，不敢深入重地，顾不上救他，寻路往东边去了。这边众庄客将时迁绑了，送到祝家庄去。

且说杨雄、石秀走到天明，两人进一家酒店歇脚，遇到杨雄以前的一个熟人杜兴。杜兴曾在蓟州府吃过官司，也是多亏杨雄救了他。杜兴见了杨雄，十分欢喜，问杨雄为何来到这里。杨雄便将自己要投奔梁山，路上时迁在祝家店偷鸡被捉之事说了。杜兴道："此间独龙冈上有三个村庄，中间是祝家庄、西边是扈家庄、东边是李家庄。这三庄共结生死之交，同防梁山好汉。东边李家庄庄主正是小弟的主人，名唤扑天雕李应。小弟可引二位到庄上，请李大官人写一封书信送到祝家庄，搭救时迁。"杨雄听了大喜，他也早听过李应的名号，便和石秀随杜兴来到李家庄上。

李应来到厅前，杜兴引杨雄和石秀拜见。李应也是个豪杰人物，见

讨野火：早期白话，指找打、找苦吃的意思。

枯草丛中伸出两把挠钩，把时迁钩住，拖到草窝里去了。

大宁笔枪

　　枪是古代最常用的长兵器之一。长枪自晋代开始流行，到宋朝时，枪的使用更为普遍。宋代的枪有双钩枪、单钩枪、捣马突枪、拐枪、锥枪等18种之多。枪的使用方法主要是扎、刺、挑、拨、拦、圈、扑等，具有极强的刺杀功能。

祝彪回身一箭，正中李应的左肩。

　　杨雄二人都是好汉，便命摆宴款待二人。杨雄、石秀拜请李应搭救时迁，李应立即写了封书信，派人送到祝家庄去。那家丁去了多时，方才回来，只说那祝家三子不肯放人。李应以为那家丁言语不好，便又写了一封书信，让杜兴送去。

　　杜兴又去了很久，到天晚时才回来，只见他气得脸庞发紫，半天说不上话来。李应问他缘故，他道祝家三子不但不放人，还将书信撕了，百般辱骂李应。李应听罢，怒火顿起，立即叫人备马，自己披挂整齐，带领三百多庄客，杀向祝家庄去，杨雄和石秀也随后赶来。

　　李应来到庄前，叫道："祝家三子，怎敢诽谤老爷？"祝家第三子祝彪骑一匹火炭马从庄里冲出来。两人言语不合，各挺手中枪，战在一起。斗了十七八个回合，祝彪不敌，拨马便走。李应纵马赶上去，祝彪将枪横在马上，腰里取过弓箭，回身一箭射过去，正中李应的左肩。李应滚下马来，祝彪正要上前来拿人，杨雄、石秀赶上来将他截住，将李应救了回去。

　　回到李家庄上，杨雄、石秀对杜兴道："都是我等连累了大官人。既是那厮无礼，时迁又救不出，我等只好上梁山泊去，恳请晁、宋二公来与大官人报仇，救出时迁。"于是二人辞别出庄。

　　杨雄、石秀来到梁山泊下，碰上石勇。石勇先往山上放了一支响箭，报了个信儿，然后将二人引上山寨。

众头领都出来在大厅聚会，杨雄、石秀上前拜见了晁盖、宋江等人，恳请入伙，大家都十分高兴。随后两人又说出时迁在祝家店偷鸡被捉之事，请各位好汉搭救。

晁盖听说时迁等人打着梁山的名目偷鸡，大发雷霆，要斩杨雄、石秀二人。

　　这话不说则罢，说完后，晁盖却大怒道："来人，将这两个推出去斩了。"宋江慌忙拦住，晁盖道："俺梁山好汉以忠义为主，个个都有豪杰的光彩，这两个却借梁山的名目去偷鸡，连累我们受辱，先斩了他两个，再去洗荡了那村庄。"

　　宋江劝道："偷鸡的是时迁，不是这二位贤弟，哥哥不可一时怒气，杀了自家兄弟。其实是祝家那厮无礼，要和俺山寨作对。哥哥息怒，宋江不才，愿领一支人马下山，洗荡那祝家庄，一为山寨报仇，二来免被小辈耻笑，三可多得些粮食，供山寨使用，四可就此请李应上山，一起入伙。"众人听了，都道有理，一起向晁盖求情。杨雄、石秀又自谢罪不止，晁盖这才点头作罢。宋江安抚了二人，二人就此在梁山上安身。

　　宋江随后与众人商讨攻打祝家庄之事，一场大的争斗厮杀即将开始。

鸣镝

　　即响箭，是一种在草原上进行远距离军事联络的工具。借助强弓挽射，可用来发送信号。

第二十六章

宋公明败走祝家庄

话说宋江向晁盖请命，要亲自攻打祝家庄，为梁山树威。此时山寨上除公孙胜探母未归外，戴宗已带杨林归山，还有一些新入伙的好汉，如孟康、邓飞、裴宣、马麟、欧鹏、杨雄、石秀等人。新旧众头领一起商议好下山人数，由晁盖镇守山寨，留下吴用、刘唐、阮氏兄弟及吕方、郭盛等人护寨。其余头领分成两拨：第一拨，由宋江、花荣、李逵、杨雄、石秀、黄信等人带领三千小喽啰、三百马军率先下山；第二拨，由林冲、秦明、戴宗、张横、张顺、王英等人也带领三千喽啰、三百马军随后接应。再让宋万、郑天寿两人分别把守金沙滩、鸭嘴滩两处小寨，供应粮草。

一切分配完毕，宋江与众头领便带领人马先奔祝家庄而来。到了独龙山前，众军扎下营寨。宋江与花荣商议道："听说祝家庄内道路繁杂，不可轻易进兵，可先派两个人进去打探一下，再与他对敌。"李逵听了，争着要进去看看，宋江知他莽撞，把他喝退一边，唤过石秀来道："兄弟，你曾到过那里，可和杨林去走一遭。"石秀领命，便和杨林两人一个扮做卖柴的樵夫，一个扮做解魇的法师混进祝家庄去。

且说石秀挑一担柴走了有二十里路，见前面路径曲折繁

解魇：魇，指魔魇或梦魇。解魇，即是向鬼神祈祷消除魔魇或梦魇。

宋江送石秀、杨林去祝家庄探路。

杂，弯环相似，又有丛密的树木，辨不出一条好路，便放下担子不走。忽听背后法环响起，他回头一看，却是杨林戴一顶破斗笠，披一件旧法衣，摇着法环走过来。两人见四下里没人，商议拣大路走。

石秀又背了柴担寻大路先走，他来到一个村庄，见村里各酒店门口都插着刀枪，每人都穿一件黄背心，上写一个"祝"字。石秀向一个老汉作揖问道："爷爷，请问此地是什么风俗，为何都把刀枪插在外面？"那老汉见石秀是个外地人，又相貌忠诚，便道："你是哪里来的客人？不要在此耽搁，只可快走。如今梁山好汉正领兵来攻打俺这祝家庄，庄里都准备着迎敌。这里的路皆是盘陀路，容易进来，却不容易出去。初来这里不认路的，都要被当做梁山贼寇捉了去。"石秀一听，拜在地上，哭着道："小人是外地人来这里做生意的，因失了本钱才以卖柴为生。若在这里撞上厮杀走不掉，如何是好？我将这担柴送与爷爷，请爷爷可怜小人，指条路让我出去吧。"

那老汉是个向善之人，便把石秀领到自己家里道："你从村子里走去，见了白杨树就转弯，不管路宽路狭，都是活路。若没有白杨树，便是死路。死路上不但走不出去，地下还埋着暗器，踏上了定会被捉了去。"石秀连忙拜谢，问那老汉贵姓。老汉说自己是祝家庄上的单户，复姓钟离。

石秀问路，钟离老人告诉他见白杨树转弯，便是活路。

白杨树

杨树是喜阳、喜湿的落叶乔木，在我国华北平原地区有大面积种植，是我国的主要树种之一。我国杨树的栽培，可追溯到公元前7世纪，《诗经》中就有关于杨树的记载。以后历朝历代都倡导种植杨树，以绿化环境或作建筑木材之用。

花荣拉弓搭箭，要射那盏信号红灯。

神臂弓

宋朝弓箭制造技术有很大进步，制造了大量远射程的弓箭，神臂弓是其中的一种。该弓配以木羽箭，射程可达460米，能穿透四重铁甲。

两人正说着，石秀听到外面说捉了一个细作，吃了一惊，出来一看，却是杨林被七八个汉子押着走过来。石秀见了暗暗叫苦。钟离老汉见天晚了，又留石秀在家里住下。石秀又拜谢了，见四五匹军马来门前吩咐道："你那百姓们，今夜只看红灯为号，齐心捉拿梁山反贼。"石秀听了，心里有了主意，便先在老汉家里睡了。

再说宋江等人在村口屯驻兵马，许久不见杨林、石秀二人回来，宋江心中急躁，担心二人有失，便带着大队人马直杀到独龙冈上。来到庄前，众人见庄门紧闭，不见一点灯火，庄上亦不见人马响动。宋江勒住马，心中疑惑，猛省到犯了急躁进兵的大忌，立刻叫人撤退。正在此时，只听得祝家庄上一个号炮响起，直飞到半空中，那独龙冈上，千百支火把一齐点着，门楼上弓弩箭矢雨点般飞射过来。

宋江急令回军，来路却已有埋伏，众人还未寻得出路，独龙冈上又一个号炮响起，四下里喊声震天动地，惊得宋江目瞪口呆。宋江正不知如何是好，石秀及时赶来，对宋江道："哥哥不要惊慌。只叫众军见白杨树转弯，便是活路。"众人按石秀所说，见白杨树便转，却见前后围兵越来越多。宋江疑忌，石秀道："他们以红灯为号。"花荣见树影里果有一盏红灯晃来晃去，他拈弓搭箭，纵马向前，望着影里一箭射去，便将那红灯射了下来。

四面伏军没有了红灯，顿时乱了起来。宋江叫石秀带路，众人杀出庄去。这时林冲、秦明领着第二路人马赶来接应，众军都在祝家庄村口驻扎。当时正好天明，有人来报黄信夜里被挠钩搭住，捉进庄去了。宋江听了，心中更添一层忧闷。

杨雄又说起李应是个好汉，宋江便打算让他帮忙，前去拜见。不想李应托病不出，宋江无奈，只得回来与众人商议再打祝家庄，救杨林、黄信两个出来。宋江将现有人马分成三路，自己亲自做先锋，来打头阵。

细作：这里指暗探、间谍。

再次来到祝家庄前，只见门楼两面大旗上写着："填平水泊擒晁盖，踏破梁山捉宋江。"宋江看了大怒，发誓一定要打下这个村庄。这时，山坡下冲出一彪人马来，当头一员女将，抢着两口日月双刀。只见此女穿着连环铠甲，生得海棠般美貌。她正是西村扈家庄上的女儿扈三娘，武艺十分了得，人唤一丈青，已许给祝家第三子祝彪为妻，此番前来是为祝家庄助战的。

矮脚虎王英一听是个女将，便首先跳出来挺刀迎战。两个人战在一起，只十多个回合，王英就渐渐招架不住。这王英见扈三娘貌美，只想把她捉过来，不想扈三娘如此厉害。扈三娘看出王英不怀好意，心下大怒，拿刀直上直下地砍过来。王英哪里敌得住？正待转身要走，扈三娘纵马赶上，右手将刀挂了，一把便将他捉了去。

王英来战扈三娘，反被扈三娘捉了去。

八棱流星锤

流星锤，即飞锤，是古代一种软兵器，将金属锤头系于长绳或铁索一端或两端制成。仅系一锤者，绳长约5米，称"单流星"；系两个锤者，绳长约1.8米，称"双流星"。其锤有瓜形、多棱形、浑圆形等。使用时，手握绳索或铁链，将锤抛击敌人。

这边欧鹏见王英被捉，拍马挺枪来战扈三娘。欧鹏虽枪法精熟，也占不得扈三娘半点便宜。邓飞见了，也挥着铁链冲过来。祝家庄上怕扈三娘有失，打开庄门，祝龙带人马杀出来。宋江这边马麟急忙出战，迎住祝龙。这几人正厮杀在一起，秦明带兵马赶来，他听说黄信被捉，也挺枪来战祝龙。马麟便去夺王英。扈三娘一见马麟来夺人，撇了欧鹏，来截住马麟。

这边祝龙不是秦明对手，渐渐败下阵来。祝家庄枪棒教师栾廷玉带铁锤杀出来助战，欧鹏赶过去迎他，不料那栾廷玉十分厉害，也不与欧鹏交战，只一飞锤打过去，便将欧鹏打下马来。邓飞见了，急让小喽啰救人，自己拍马来战栾廷玉。

这时，祝龙敌不住秦明，拨马便走。栾廷玉撇了邓飞，来战秦明，两人斗了二十个回合，不分胜负。栾廷玉卖个破绽，拍马向荒草中跑去，秦明不知是计，纵马追赶，被绊马索连人带马绊翻在地，草中埋伏的众人上来把秦明捉了。邓飞急忙来救秦明，两边却有几

栾廷玉一飞锤，将欧鹏打下马来。

把挠钩一起搭过来，将邓飞也捉了去。

宋江见状，连声叫苦，只救得欧鹏上马。马麟急忙撇了扈三娘，来保护宋江往南而走。背后栾廷玉、祝龙、扈三娘都拍马赶来。正在危急时刻，穆弘、杨雄、石秀、花荣等人及时赶到，一起来战栾廷玉、祝龙。这时祝家庄里又杀出祝彪，宋江这边张横、

扈三娘追赶宋江，林冲及时赶到，将扈三娘擒了。

张顺、李俊也赶来厮杀，众人一起混战。宋江见天色已晚，便命收兵，众人且战且走。

宋江怕众兄弟迷路，一个人拍马到处寻看。正行之间，只见扈三娘飞马赶来。宋江措手不及，拨马便走，眼看就要被扈三娘赶上，李逵舞着两把板斧，从山坡上大喊着冲下来。扈三娘勒住马，往树林边而去。宋江也勒住马，见树林边又转出一彪人马来，原来是林冲带人赶到。林冲在马上叫道："那婆娘走哪里去？"扈三娘见状，飞刀纵马，直奔林冲，林冲挺起丈八蛇矛迎住。扈三娘虽是厉害，却不是林冲的对手，两人战不到十个回合，林冲卖个破绽，故意让扈三娘的刀砍过来，自己拿蛇矛逼住，将直砍来的刀逼斜了，然后靠马上去，轻舒猿臂，把扈三娘从马上拽下来活捉了。宋江看到，直是喝彩。林冲让军士把扈三娘绑了，自己拍马过来，保护宋江往村口营寨而走。

到晚间，宋江收拢了大队人马，让人将扈三娘连夜送上梁山，交给父亲宋太公收管。宋江当夜在营寨中歇息，因两次攻打祝家庄失利，心中苦闷，不曾睡眠，在帐中坐了一夜。

蛇矛

蛇矛是古代兵器，矛的一种，因刃部像一条游动的蛇，故此得名。蛇矛的矛尖能够增加刺伤深度以及加大伤口愈合难度，是一种杀伤力极大的兵器。

第二十七章

宋公明三打祝家庄

吴用赶来帐中，为宋江介绍孙立等人。

话说宋江正为两攻祝家庄不下发愁时，小喽啰来报说吴用并三阮、吕方、郭盛带领五百人马来到。宋江闻听，急忙迎出帐外，把众人接进营寨中。

吴用道："晁头领听说哥哥进兵不利，特命小弟并五个头领来助战。不知近日胜败如何？"宋江叹着气，将两次兵败，杨林、秦明、黄信等人被捉的事说了。吴用听了笑道："哥哥不用发愁。这个祝家庄该着要败，旦夕可破。前日栾廷玉的师弟、登州兵马提辖孙立携带孙新、邹渊、邹润、乐和等人来投靠山寨，他众人听说哥哥攻祝家庄不利，特献一条计策，要为山寨立功。如今计策已定，小弟特来禀告兄长，他几人随后便来参拜。"宋江听了大喜，忙叫安排筵席相待。

不一时，登州孙立便带领众人来参拜宋江。吴用一一作了介绍，众人叙礼罢，同桌共饮不提。吴用又暗传号令，让孙立等人五日内如此如此。众人领了计策，一行人带着车仗人马投奔祝家庄而去。

原来，在宋江攻打祝家庄的同时，梁山泊山寨仍在招纳四方豪杰。登州猎户解珍、解宝兄弟被人诬陷下狱，他们的姑表姐顾大嫂和姐夫孙新，联合哥哥孙立及

陶院落

这件陶院落仿照古时大庄园的形制建造而成。其北面为正房，两旁为厢房。南面建门楼，内部是前厅。四角上有角楼，在角楼上可俯瞰庄园以外的地方，为守护院落之用。

孙立的妻弟乐和并一对叔侄邹渊、邹润等一起劫牢。众人救出解珍、解宝后，一同投奔梁山泊入伙。孙立与祝家庄上栾廷玉是同门师兄弟，便献一计，要假投靠栾廷玉，然后与梁山好汉里应外合攻下祝家庄，以为进身之报。故此，吴用带他们赶到宋江营寨。

且说孙立将自己的旗号改为"登州兵马提辖孙立"，带领众人来到祝家庄，栾廷玉见了，急忙将众人迎进庄内，与庄主祝朝奉及祝家三子相见了。祝家人见孙立是栾廷玉的师弟，又带了家小，并未怀疑，留孙立等人在庄里住下。

过了两日，宋江又带兵马来攻打祝家庄，祝彪出去迎战花荣，未占得便宜。第四日，宋江等人又来，孙立披挂整齐，上马出去助战，与石秀斗在一起。两人斗了五十回合，不分胜负。孙立卖个破绽，让石秀的枪刺过来，自己闪身躲过，然后轻舒猿臂，就将石秀从马上捉过来，直挟到庄前扔下，喝叫："绑了。"祝家三子见状，把宋江军马一搅，都赶散了。众人回到庄内，皆佩服孙立神勇，孙立便问道："共捉了几个贼人。"祝朝奉回说

宋朝抛石机示意图

抛石机是古代战场上的一种远程抛射武器。这种武器以石头当炮弹来发射，攻击力很强。唐宋时的抛石机都是木制结构，利用杠杆原理吊起石袋，然后突然放开，可以将石袋抛得很远，增强石袋对敌人的攻击力。

孙立卖个破绽，将石秀捉过马来。

孙立等人在祝家庄里做内应，将祝家庄闹了个天翻地覆。

《三打祝家庄》图局部

"三打祝家庄"一节是水浒故事中比较著名的一段，这是清代人描绘的梁山英雄攻破祝家庄时的画面。

先前捉了时迁、杨林、黄信、秦明、邓飞、王英，加上石秀共是七个。孙立道："先不要杀他们，快做七辆囚车装了，给他们好酒好饭，饿坏了不好看。等捉到宋江一起押往东京，也显祝家庄豪杰。"祝家众人听了，都点头称是。

其实石秀武艺不低于孙立，他故意让孙立捉了，是让祝家人相信孙立。孙立暗暗让邹渊、邹润、乐和去后房将出入门户都看仔细。乐和瞅个机会，将里应外合的计策透露给杨林等人。顾大嫂与孙立妻子也悄悄将内院门户摸清楚。

到了第五日，庄兵来报宋江分四路兵马来攻打本庄。祝朝奉亲自率三个儿子到门楼上来看，只见林冲、花荣、杨雄、李逵等人各领五百兵马，擂响战鼓，从四面向祝家庄围过来。栾廷玉与祝家三子各领人马出去迎敌。

此时，邹渊、邹润已藏了大斧，守在监门左侧；解珍、解宝藏了暗器守在后门；孙新、乐和守在前门；顾大嫂拿了双刀在堂前伺候。待祝家三子并栾廷玉都杀出庄后，孙立带了自己十几个军兵立在吊桥上。门里孙新将自家的旗号插在门楼上，乐和提枪出来，邹渊、邹润见了，抡起大斧将守门的庄兵数十人都砍翻，放出杨林、石秀、黄信、秦明等七人。这几人又各取器械，一起杀起来。祝朝奉见势头不好，正要投井自杀，早被石秀看到，一刀割了首级。后门解珍、解宝便在马草堆里放起火来，庄院里顿时黑焰冲天。

外面林冲、花荣等人见祝家庄上火起，一齐向前冲杀。祝虎见庄里着火，先自拨马奔回来。孙立守在吊桥上，拦住道："你那厮往哪里去？"祝虎见势不好，又奔宋江阵上来。这里吕方、郭盛迎住，齐举两戟，将祝虎连人带马一起搠翻在地，众军上来，把祝虎剁成肉泥。后面庄兵四散奔走，孙立、孙新将宋江迎进庄内。

再说东路祝龙战林冲不过，拨马往庄后飞跑，到得吊桥边，却见解珍、解宝正把庄客的尸首一个个往火堆里扔。他见势不妙，慌忙往北而走，猛然撞上李逵，被李逵一斧劈死。祝彪得知庄内出事，不敢回庄，直接投奔到扈家庄上。不想扈成因妹妹扈三娘被宋江等人捉了，不敢再与梁山为敌，反将祝彪捉住，押来送与宋江。路上正碰到李逵，李逵不管三七二十一，先将祝彪头砍了，又来砍扈成。扈成见局面不好，急忙落荒而逃。李逵杀得手顺，又奔到扈家庄上，将扈太公一门老幼都杀了，然后命小喽啰抢了财物，来向宋江报功。

此时宋江已坐到祝家庄大厅内，众头领都来献功。大

宋代云梯模型

云梯是士兵用来爬越城墙进行攻击的器材。在冷兵器时代，云梯是进行攻城战的重要工具。宋代云梯有许多形式，如飞梯、竹飞梯、躔头飞梯等，此为宋代云梯的一种。

吕方、郭盛齐举两戟，将祝虎连人带马搠翻在地。

家共捉获俘虏四五百人，夺得好马五百多匹，宋江见了大喜，后听说李逵将扈家庄一门都杀了，要治李逵乱杀无辜的罪，只念李逵有杀祝龙、祝彪的功劳，方才让他将功补过。众人打点停当，一齐上马，奏凯歌班师回山。

且说李家庄上李应听说梁山好汉攻破了祝家庄，心中喜忧参半。这日，忽有庄客来报说本州知府带人前来，李应慌忙出门迎接。那知府见了李应，不问情理，便说李应私通梁山贼寇，强行将李应和杜兴都绑了押走。一行人走了不到三十多里，宋江、花荣等人从树林里冲出来，拦住去路，林冲大喝一声："梁山好汉在此。"那知府见了，撇了李应、杜兴就跑。宋江让人给李应、杜兴松了绑，说道："且请大官人到梁山上躲一时，如何？"李应道："这使不得。即使你们杀了知府也不关我事。"宋江笑道："官府里怎容你分辩？我们去了，必然连累了你。既然大官人不愿落草，先到山寨歇息几日，打听得没事，再回来不迟。"

当下不管李应同不同意，众人便将李应、杜兴夹在大队人马中间，一起奔回梁山泊来。晁盖下山迎接，与宋江等人接风。李应与众头领重新相见了，便要推辞下山。吴用笑道："大官人宝眷已取到山寨，贵庄已烧为白地，大官人要回到哪里去？"李应不信，却见自家庄客并妻小一队队上山而来。李应迎住相问缘故，他妻子道："自

李应、杜兴被"知府"绑了，宋江等人出来拦住去路。

你被知府捉了去，随后有两个巡检，带四个都头并几百士兵前来抄了所有家私，让我们都上了车子，然后放火烧了庄院，把我们都带到这里来。"

李应听了，心中叫苦。晁盖、宋江这时都过来请罪道："我等兄弟久闻大官人豪杰，因此使出这条计来，万望大官人原谅。"原来为让李应上山，那知府和巡检都是萧让、戴宗、杨林等人假扮的。到了此时，李应也不得不顺从，只好入伙落草为寇。宋江急忙让小喽啰杀猪宰羊，备办酒席，庆贺众新头领上山。

由宋江主婚，王英与扈三娘结为夫妇。

次日，宋江又安排酒席，叫出王英来道："当初在清风山上曾许下你一门亲事，一直挂在我心上。今日我父亲有个女儿，就招你为婿。"这女儿指的是扈三娘。原来，扈三娘被押解到梁山泊后，一直由宋江父亲照管，后认宋太公为义父。王英一听要他娶扈三娘为妻，自是乐不可支。

宋江请出父亲宋太公，引扈三娘来到宴席前，与她赔话道："我这兄弟虽有武艺，但不及贤妹。当初我许下他一门亲事，一向未曾办理。贤妹既已认我父为义父，就请与王英结为夫妇吧。"扈三娘心里本不乐意，但见宋江义气深重，自己又落在人家手里，只得点头答应。

晁盖等人大喜，当下重整宴席，由宋江主婚，为王英、扈三娘举办婚礼。二人在宴前与众人都拜谢了，正式结为夫妇。众头领尽皆欢畅，纷纷为二人庆贺。

花烛

花烛是古代婚礼中不可缺少的用品，多半上面绘有龙凤彩饰，以示吉祥。结婚时，洞房内一般摆上两支花烛，新娘新郎在新婚之夜通宵不睡，谓之守花烛。后世以花烛喻为结婚。

｜第二十八章｜
黑旋风打死殷天锡

柴进收到一封书信，得知叔叔病重，十分焦急。

梁山好汉自攻打下祝家庄，山寨上更加兴旺，四方豪杰皆来投靠入伙。后来曾在郓城县有恩于晁盖、宋江的都头雷横因失手打死了女戏子白秀英，被新到知县定为死罪，幸亏有朱仝悄悄将他放了，他也投奔了梁山泊，落草为寇。

朱仝却因私放雷横，被刺配沧州。沧州知府见他是个好汉，留他在厅前伺候。知府有个年方四岁的公子，十分喜欢朱仝，时常让朱仝抱着玩。一日，朱仝抱小公子出去看河灯，撞上雷横、吴用等人。他们是特意下山来请他入伙的，朱仝却不愿落草，李逵悄悄把知府的小公子杀了，逼朱仝上山。朱仝见害了小公子性命，要与李逵拼命，并说若有李逵在，决不上梁山。吴用等人无奈，便让李逵先留在沧州柴进庄上，自请朱仝上了梁山。到了山寨，宋江又与朱仝赔话不提。

且说李逵在柴进庄上住了一个来月，忽一日，有人急匆匆送来一封信，柴进看后大惊道："既是如此，我得去走一遭。"李逵忙问是何事，柴进道："我有个叔叔柴皇城，在高唐州居住，现被知府高廉的妻弟殷天锡

金药罐

药罐是古代熬制中药的医用器具。一般将药材加水放在罐里，在火上熬成汤药，便可给病人服用。此药罐是直口、深腹、平底，造型普通，但外表十分光滑，其材质为黄金，应为富贵人家所有。

霸占花园，气倒在床上，早晚性命难保，唤我前去。想我叔叔无儿无女，我必须得亲去一趟。"李逵道："既是如此，我随大官人走一遭。"柴进点头，便收拾行李，与李逵带领几个庄客，一起奔高唐州而来。

柴进来到叔叔家里，见叔叔病重，放声大哭。柴皇城的夫人把他劝住，诉说了事情原委。原来此地新任知府高廉是高太尉的叔伯兄弟，倚仗他哥哥的势，无所不为。他有个妻弟名叫殷天锡，又倚仗他的权势，专在此地横行害人。有那献殷勤的闲汉对他讲柴皇城家后宅花园盖得好，殷天锡带人来看了，便要强行霸占，赶柴皇城一家出去。柴皇城与他讲理，反被那厮殴打一顿，因此气病在床。

柴进听了这些道："婶婶放心。先请大夫治好叔叔的病，我派人回沧州取丹书铁券来，再与他理会，即使告到官府，也不怕他。"皇城夫人点头称是。

柴进又看视了叔叔一回，出来与李逵讲述事情原委。李逵听了，跳起来道："这厮好无礼！我有大斧在这里，先让他吃我几斧再说。"柴进忙把他劝住，说自家有先朝圣旨，要和那殷天锡打官司。李逵焦躁道："法律若还依得，天下不早乱了！我只是先打后商量。那厮若去告官，连那鸟官一起砍了。"

两人正说着，里面侍妾慌忙来请柴进进去。柴进来到病榻前，柴皇城两眼含泪道："贤侄志气轩昂，不让祖宗受辱。我今日被殷天锡怄死，望贤侄往京师告状，为我报仇，九泉之下，也感贤侄亲意。保重，保重！"说完，便撒手而去。柴进大哭。

丹书铁券：一种免死牌。是封建帝王颁发给功臣、重臣的一种带有奖赏和盟约性质的凭证，可供功臣、重臣世代子孙享受优遇或免罪等特权。

柴进来到叔叔病榻前，柴皇城嘱咐他为自己报仇。

殷天锡在柴皇城府前耀武扬威，喝叫闲汉们打柴进。

银棺

宋时的葬具棺椁主要采用前高后低的长方形形制。图中银棺表面錾刻有佛像、天王像、莲花、云气等纹饰，是一件供奉舍利的器具，它反映了宋代棺椁的普遍形制。

皇城夫人怕柴进哭坏身体，无人主事，忙把柴进劝住，与他商量后事。柴进只得先忍住悲伤，一面让人星夜赶回沧州取丹书铁券，好带往东京告御状；一面让人依照官制，安排内棺外椁，铺设灵位。不多时，一家都穿了重孝，大小举哀。

李逵在外面听到堂里哭声，气得摩拳擦掌，却一时不敢造次。

到了第三日，那殷天锡骑着一匹马，带领二三十个闲汉，在城外游玩了一遭回来，径直来到柴皇城宅前。殷天锡勒住马，在门外耀武扬威地叫里面主事的人出来说话。柴府家丁急忙通报，柴进闻说，穿了一身孝服，出来应对。殷天锡见了他，在马上问道："你是他家什么人？"柴进道："小可是柴皇城的亲侄柴进。"殷天锡瞟了他一眼，又道："前日我叫他家搬出宅去，为何不听我的言语？"柴进忍住气道："我叔叔一直卧病在床，不敢移动。前日病故了，待断七后再搬出去。"殷天锡怒道："放屁！我只限你三日搬走。三日不搬，先把你这厮抓到官府，吃我一百讯棍。"柴进道："休要这样相欺！俺家也是金枝玉叶，有先朝的丹书铁券，谁敢不敬？"殷天锡喝道："你拿出来给我看看。"此时铁券还在沧州，柴进自是拿不出来，只道："等让人取来，拿给你看。"殷天锡大怒道："这厮胡说！便有丹书铁券，我也不怕，左右给我打这厮。"

众闲汉正要过来打柴进，早被李逵在门后看见，他早已听了多时，此时忍无可忍，拽开门，大吼一声，直奔到马边，一把将殷天锡从马上揪下来，一拳打翻在地。众闲汉要过来打李逵，不等他们动手，李逵一拳一脚，早打翻了六七个。其余的见势不好，一哄都跑了。李逵又转过身来，就地上提起殷天锡，拳脚一起上，没头没脑地打下去。柴进要上来拦他，哪里劝得住？李逵只顾打得痛快，那殷天锡不过是个纨绔子弟，哪经得住他这番拳脚？不一会儿工夫，殷天锡便被李逵打死，呜呼哀哉了。

　　柴进见李逵打死殷天锡，连声叫苦，忙让李逵到后堂商议。柴进道："一会儿定有公差来这里拿你，你不能再留在这儿了。有官司我来应对，你赶快回梁山泊去。"李逵道："我走了，不是连累了大官人你？"柴进道："我自有丹书铁券护身。你快走，事不宜迟。"李逵听了，只好拿了双斧，回梁山泊去了。

　　不多时，早有二百多公差前来拿人，将柴皇城家团团围住，未捉到李逵，便将柴进绑到官府。那知府高廉听说打死了他的小舅子，正恨得咬牙切齿。柴进被带到厅前，高廉喝道："你怎敢打死殷天锡？"柴进道："小

断七：中国的殡葬习俗。古代时，人去世后，灵柩一般都在"断七"以后入葬。人们认为，人死后七天才知道自己已经死了，所以要举行"做七"，即每逢七天一祭，"七七"四十九天才结束。断七便指"七七"之后。

李逵将殷天锡从马上揪下来，提拳就打。

宋朝文官像

此塑像的穿戴、衣饰是宋代文官的典型打扮。自宋太祖开始实行文人治国后，宋朝便进入重文轻武的时代。宋朝文官权力大增，在地方上，一般可辖制地方武官。

人是大周柴世宗嫡派子孙，家有先朝太祖的丹书铁券，诸人不许欺侮，现在沧州居住。因我叔叔柴皇城病重，小人才特到此地看望。前日叔叔病故，如今停丧在家。那殷天锡今日带领二三十人来我叔叔家，定要把全家老小赶出去，不容柴进分说，喝叫众人来打小人。庄客李大一时前来救护，失手打死了他。"高廉又喝问："李大现在哪里？"柴进回说心慌逃走了。

高廉听了大怒道："他是个庄客，没有你的言语，怎敢下手打人？你这厮纵庄客行凶，又放他逃走，却来欺瞒官府。左右给我用力打这厮。"柴进叫道："我家有先朝太祖的丹书铁券，谁敢用刑打我？"高廉问铁券在哪里，柴进回说已让人回沧州去取。高廉本就报仇心切，听了更怒，喝道："这厮正是抗拒官府，左右给我下力痛打。"一班衙役上来，不容分说，将柴进拖下去，一顿棍棒打得皮开肉绽，鲜血迸流。柴进挨打不过，只得招认纵庄客行凶之罪。高廉让人把柴进用死囚枷枷了，押进大牢里。那殷夫人要为兄弟报仇，又让高廉抄了柴皇城的家，把柴家一家老小都监禁起来。柴进自在牢里受苦不提。

且说李逵连夜赶回梁山泊，与众头领相见。此时朱全已在山寨，见了李逵，又要拼命。宋江慌忙拦住，让李逵给他赔礼道歉，朱全方作罢。两人和解，李逵这才将自己陪柴进到高唐州看望他叔叔柴皇城，柴皇城被知府高廉的小舅子殷天锡气死，自己一气之下

高廉大骂柴进，让人把柴进打得皮开肉绽。

打死殷天锡的事说了。宋江听了，吃惊道："你自走了，定要连累柴大官人吃官司。"吴用道："兄长先不要惊慌。等戴宗回山，便有分晓。"李逵问道："戴宗哥哥哪里去了？"吴用道："我怕你在柴大官人庄上惹事，特叫他去唤你回来。他到那里见不到你，必到高唐州寻你。"

晁盖、宋江等人得知柴进遇险，十分焦急。

不一会儿，果然戴宗回来了，宋江急忙迎接，询问柴进之事。戴宗道："我到柴大官人庄上，已知他们到高唐州去了。我又直奔到那里，满街人都说一个黑大汉打死了殷天锡，柴大官人被牵连下狱，早晚性命不保。"晁盖听了道："这黑厮又做出事来，到处惹口面。"李逵争辩道："柴皇城被那厮打伤，恼气死了。那厮又来占他房屋，还喝叫打柴大官人，即便是活佛，也忍不下这口气。"晁盖道："柴大官人向来与山寨有恩，如今他有危难，怎能不下山救他？我亲自去走一遭。"宋江道："哥哥是山寨之主，怎能轻动？小弟旧日受过柴大官人恩惠，愿替哥哥下山。"

吴用道："高唐州城池虽小，但人口稠密，军广粮多，不可轻敌。"随后，他安排林冲、花荣、秦明、杨林、孙立等十二位头领，率领五千马步军作前队先锋；而后由宋江为主帅，自己为军师，并朱仝、雷横、戴宗、李逵等八个头领率三千马步军策应。一切安排完毕，众人披挂停当，辞别晁盖，便向高唐州进发。

惹口面：早期白话方言，指惹是生非。

第二十九章

入云龙斗法败高廉

战马

这是古代的战马雕像，马的形态矫健，一马作奔走状，一马作食草状，应为内蒙古河套一带的马种。此雕像反映了古代战马的普遍形象。

高廉施法，卷起一道黑气，刮起一阵怪风，撼天动地般向梁山泊阵营扫去。

梁山泊好汉来到高唐州地界，早有人报知知府高廉，高廉忙下令整点军马迎敌。他手下有三百心腹军士，号为飞天神兵，都是从山东、河北、两淮等地挑选来的精壮好汉。

那高廉亲自带领三百神兵，披甲仗剑，上马来到城外，布下阵势，将三百神兵列在中军，摇旗呐喊。这边梁山先锋林冲、花荣等人已带领五千人马赶到。两军对阵，号角齐鸣，林冲提丈八蛇矛，率先跃马出阵，高声叫喝。高廉也纵马来到阵前，骂道："你这伙不知死的叛贼，怎敢犯我城池？"林冲喝道："你这个害民强盗，我早晚杀到京师，把高俅那贼碎尸万段，方足我愿。"

高廉听了大怒，让手下将领出战。一个叫余直的统制官拍马出来，相战林冲，战不到五个回合，便被林冲刺中心窝，落下马来。又一个唤温文宝的统制官冲出来，秦明纵马迎住，又不过几个回合，秦明手起棒落，将温文宝打死在马上。

高廉用剑敲击铜牌，变出一群毒虫怪兽向宋江阵营冲来。

高廉见连折二将，便向背后抽出一把太阿宝剑来，口中念念有词，喝声："疾！"只见高廉军中卷起一道黑气，那黑气散至半空，突然刮起一阵怪风，飞沙走石，撼天动地般直向梁山好汉阵中扫过来。林冲、花荣、秦明等人见了，大吃一惊，各个对面不能相顾，那些坐下战马皆惊得乱窜咆哮，众人马回身便走。高廉又把剑一挥，指点那三百神兵从阵里杀出来，背后又有官兵协助，直将林冲等人马赶得七零八落，呼兄唤弟，五千军兵折了一千多人。

林冲等人被迫退后五十里安营扎寨。不久，宋江人马赶到，林冲备说高廉施法之事。宋江、吴用听了，也大吃一惊。第二天，两军再次对阵，宋江带剑纵马来到阵前。高廉见了，高声叫骂道："你这伙反贼，还不快快下马受缚，免得污我手脚！"他极力要擒宋江，又换了一种法术，取一面铜牌，拿剑一敲，只见那神兵队里卷起一阵黄沙，沙中走出一群毒虫怪兽，张牙舞爪地直向宋江阵里冲来。这边人马都惊得呆了，宋江撇了剑，拨马先走，众头领簇拥着，尽都逃命。大小军校，纷纷夺路而走。高廉在后面把剑一挥，神兵、官兵一起掩杀过来。

宋江人马大败而退，高廉赶杀了二十多里，方才鸣金收兵。梁山军马退到一处山坡下，扎住营寨。吴

剑

剑为长条形，两边有刃，一般刃部都很锋利，主要靠刺杀、劈砍、划拉来攻击敌人。到唐朝时，剑基本不再被人们作为实战武器，而成为武士、文人佩戴在身上的一种装饰。宋代以后，军队中主帅佩剑，剑则成为领导地位的象征。

高廉带神兵来偷袭宋江营寨，被杨林等人射了一箭。

用道："高廉这厮会用妖术，我们连败两阵，他今夜必来劫寨。我等应早做准备，可去旧寨驻扎，此处只留少量军马。"宋江点头称是，急忙传令，让杨林、白胜看寨，其余人马都退回旧寨歇息。

当夜，杨林、白胜带人埋伏在寨前草坡内，等到一更时分，忽见风雨大作，高廉引领三百神兵，杀入寨来。不想这寨却是空寨，那众人见了，知道中计，转身便走。杨林、白胜呐喊一声，只顾乱放箭弩。高廉左肩上中了一箭，慌忙带领众神兵逃走。杨林、白胜带人赶杀一阵，见高廉等人去得远了，不敢深入，返身回来。

少顷，雨停云散，夜空现出一天星斗，杨林等人将草坡前射翻的神兵二十余人押到宋江寨中，并备说刚才风雨大作之事。宋江、吴用听了又大吃一惊，因为这边并未下雨，众人这才知道那风雨也是高廉使的妖法。宋江见高廉如此厉害，一面下令守紧营寨，一面派人回山寨，请军马协助。

高廉中箭回城后，让军士守护城池，自在城中将养。而宋江因无法破高廉的法术，心中忧闷。吴用道："若要破他的法，除非去蓟州请公孙胜回来。"宋江听罢，只好叫戴宗与李逵再次前往蓟州寻访公孙胜。

原来公孙胜自上次离山探母后，一直未归，戴宗曾去寻访，也未寻着。这次吴用让戴宗、李逵到名山大川

神火飞鸦

这是古代一种使用火药的热兵器。用细竹篾、绵纸扎糊成鸟鸦状，内装火药，由四支火箭推进，射向敌阵，在战场上有较大的威力。

中寻找，二人经过几番周折，终于在蓟州二仙山上找到公孙胜。公孙胜的师父罗真人又教他些法术，才让他同戴宗、李逵二人下山。

数日后，公孙胜来到高唐州，与宋江、吴用等人相见，各自诉说想念之情。次日，宋江率全军来到高唐州城下，摇旗呐喊，在城下叫战。

此时，高廉箭疮已好，他带领神兵、官兵也杀出城来。两军摆开阵势，高廉高声喝骂：“你那水洼草贼，既有心来厮杀，定要见个输赢，走的不是好汉。”宋江大怒，花荣挺枪出战，这边统制官薛元辉迎战。斗不到几个回合，花荣拨马便走，见薛元辉赶来，回身搭弓，一箭射去，将薛元辉射下马来。

高廉见状大怒，他取下铜牌，拿剑敲了三下，神兵队里又是黄沙铺天盖地，狼虫虎豹又直冲过来。这边公孙胜早取出一把松文古定剑来，指着敌军，口中念诀，喝声：“疾！”只见一道金光射去，那群怪兽毒虫纷纷坠落阵前，黄沙也荡散而尽。众军看时，那虎豹走兽，却都是白纸剪的。宋江急令众军一起掩杀过去，但见高廉军马人亡马倒，旗鼓交横。高廉见法术被破，又惊又慌，急忙带神兵退入城中。宋江等人赶杀到城下，方鸣金收兵。回到帐中，宋江拜谢公孙胜，犒赏三军不提。

且说高廉不甘失败，于次夜又来偷袭宋江营寨，公孙胜早料到他的算计，又将他杀得大败，三百神兵尽皆杀死在寨里，高廉最终只带了八九人逃回城中。

藤盾牌

盾牌是古代作战时用来抵御刀剑等兵器进攻的武器。此盾牌是北宋时以藤制成的盾牌，盾的中央向外凸出，形似龟背，内面有数根系带，称为“挽手”，以便使用时抓握。盾虽然只能用以防御，但常配以刀枪，也能发挥很大的进攻能力。

公孙胜念动口诀，一道金光射去，那些毒虫怪兽纷纷落地。

火楅木

　　楅木是一种抵御敌军攻城的器械。此火楅木在2.5米长的车轴两端安装车轮，在车轴上用荆棘条捆裹大量柴草。当敌军以密集队形攻城时，点燃柴草，砍断吊索，火楅木即从城上滚向敌群中去，打击来犯之敌。

　　次日，宋江带人马四面围住城池，高廉心中寻思道：我数年法术被他破了，如今只得派人到邻近州府求救。于是高廉修书两封，让人送到东昌、寇州两地求助。两个统制官带了书信，从西门杀出，夺路去了。梁山众将正要追赶，吴用道："且放他去，可将计就计。"宋江问是如何，吴用道："他城中兵微将寡，所以急待求救。我等只须如此如此，便可大获全胜。"宋江听了大喜，急忙令戴宗回山寨，另取两支军马分两路而来。

　　再说高廉在城中每日渴望救兵到来。一天，守城军兵见宋江阵中不战自乱，急忙报知高廉。高廉来到城楼上一望，只见两队人马掀起战尘遮天蔽日，直向围城军马杀来，将宋江等人杀得四散奔走。高廉大喜，只道是两路救兵到了，急忙调集城中军马，打开城门，分头杀出去。

　　高廉来到宋江阵前，见宋江正带着花荣、秦明往小路上走。高廉引了人马，急去追赶，来到一个山坡前，忽听坡后连珠炮响，高廉心中惊疑，正待喝令人马停下。又听两边锣响，吕方、郭盛各带五百军马冲出来。高廉急忙夺路而走，手下军校损失一半，他逃出重围，抬头一看，只见城上已都是梁山泊旗号，再往四下望去，无一处是救兵。

高廉在城楼上眺望，见宋江人马纷纷逃散。

　　高廉知道中计，见大势已去，只得领着残兵败将，往山间小路逃去。行不到十里路，山背后又冲出一彪人马来，孙立一马当先，拦住去路。孙立喝道："奸贼，我等你多时，赶快下马受缚。"高廉见状，急忙带人回身而走。背后早又有一彪人马冲出来，截住归路，领军的正是朱仝。两边人马一起夹攻，高廉众人被围在当中。高廉急忙弃了坐骑，往山上逃去，众军也追赶到山上。

只见高廉慌忙口中念词，喝声："起！"驾起一片黑云，冉冉腾空，直奔向山顶。眼看高廉就要逃走，正在这时，公孙胜从山坡边转出来，他拿剑向空中作法，口中念诀，喝声："疾！"然后，将剑往上一指，那高廉便从空中倒栽下来。侧首雷横赶上去，一刀将高廉劈作两段。众人都下山来，让人飞报宋江。

公孙胜念诀作法，高廉从黑云上掉下来。

宋江得知杀了高廉，带领众军进入高唐州城，下令不得伤害百姓，并急令人去大牢中救出柴进。众人在牢中救出柴皇城一家老小和被高廉从沧州提来的柴进一家老幼，却单单不见了柴进一人。宋江见状，心中忧闷，吴用唤来押牢的差役询问，方知柴进被放进后牢院里的一口枯井里。

众人到得枯井旁，李逵下到井里，救出柴进。柴进被救上来时，已奄奄一息，宋江心中大痛，急令人找医生给他调治。然后，众好汉去杀了高廉全家，夺得府库粮食，得胜回山，暂且不提。

且说京城内高俅听说兄弟高廉被杀，又气又怒，急忙奏上一本，请徽宗皇帝下旨，派兵马剿杀梁山好汉。徽宗准奏，高俅举荐河东呼延灼带兵征剿。不几日，呼延灼进京领命，即将领兵杀奔梁山泊而来。

宋代医生

宋朝医学较前代有很大发展，官方多次编写有关药材和药方的书籍。在外科上，已有疮伤及骨伤科，对专门诊治跌打损伤有较多研究。图为宋朝医生的画像。

第三十章
呼延灼摆阵梁山泊

高俅向徽宗举荐呼延灼，让他带兵去征剿梁山好汉。

且说高俅举荐呼延灼领兵征剿梁山好汉，呼延灼奉命进京。这呼延灼乃是河东名将呼延赞的嫡派子孙，使两条钢鞭，有万夫不当之勇，现任汝宁郡都统制一职。呼延灼来到朝堂之上，徽宗天子见他仪表非俗，心中欢喜，特赐他一匹踢雪乌骓良马。

那马可日行千里，浑身墨锭般黑，四蹄却雪练般白，故此名为踢雪乌骓。呼延灼谢恩罢，随高俅来到殿帅府，商议剿捕梁山泊之事。

呼延灼向高俅举荐陈州团练使韩滔为正先锋，颍州团练使彭玘为副先锋，高俅随即答应，发下两道文书，让人分别到陈州、颍州命韩、彭二人进京。那韩滔是东京人氏，武举出身，使一条枣木槊，人称百胜将军。那彭玘也是东京人氏，将门之子，使一口三尖两刃刀，武艺出众，人称天目将军。

不几日，二将奉命来到京城。高俅命呼延灼并韩、彭二人各自回州挑选精壮士兵，又给他们配备精良武器。半月之后，三人各领马军三千、步军五千又来到京城。经高俅检阅毕，大军由韩滔开路，呼延灼为中军主将，彭玘为后军催督，浩浩荡荡向梁山泊杀奔而来。

梁山上探马得知消息，急忙报知山寨。此时，晁盖、

杜虎符

这是古代的一种兵符。此虎符分为两半，上面各有相同的关于调兵制度的铭文。古代君主调管军队用兵符制度，一般君主将兵符右半保存手中，左半放在军营中。有征战时，君主再将右半兵符授予将军，将军到兵营出示兵符，与左符相合，方可调兵遣将。

宋江等人正在庆贺柴进康复之喜，闻报呼延灼带兵来征剿，众人共同商议迎敌之策。吴用道："我闻此人是开国功臣呼延赞的后代子孙，武艺精熟，人不可近，必是能征善战之将。我等先以力敌，然后智取。"吴用话音未了，李逵便道："我与你去捉这厮。"宋江道："你如何捉得？且退在一旁，我自有调度。"

然后，宋江分派霹雳火秦明打头阵，豹子头林冲打第二阵，小李广花荣打第三阵，一丈青扈三娘打第四阵，病尉迟孙立打第五阵。让这五人轮番上阵，一队队战罢，再转作后军。宋江亲自带十个头领，引大队人马押后。左军五将为朱仝、雷横、穆弘、黄信、吕方，右军五将为杨雄、石秀、欧鹏、马麟、郭盛。水路中又安排李俊、张横、张顺并三阮兄弟驾船接应。最后叫李逵与杨林引步兵分作两路，埋伏救应。

一切调拨完毕，前军秦明已带人马下山，向平原旷野之处，列成阵势。当时虽是冬天，天却转暖。秦明扎下营寨，等候了一日，便望见官兵到来。先锋韩滔领兵在对面也扎下寨栅，当晚不战，暂且不提。

到了第二日天明，两军对阵，擂过三遍战鼓，秦明、韩滔都出列阵前。韩滔横槊勒马，见了秦明大骂道："天兵到此，不早早投降，还敢抗拒，岂不是找死？看我把你这水泊填平，梁山踏碎，活捉你这

槊：古代兵器。一般用硬木制成，分槊柄和槊头两部分。槊柄一般长6尺。槊头呈圆锤状，一般头上装有铁钉若干，槊柄尾端装有利器。其主要使用技法有劈、盖、截、拦、撩、冲、带、挑等。

宋江分派兵马，准备迎战呼延灼。

乌骓马

乌骓马是古代一种传说可日行千里的宝马，通体毛色为黑色。秦末西楚霸王项羽的坐骑为乌骓马，传说此马不但可日行千里，且通人性。后代多将一些黑色的良马命名为乌骓马。

伙反贼进京，碎尸万段。"秦明是个急性子，听了也不搭话，舞着狼牙棒，拍马直奔韩滔。韩滔挺槊迎战，两人斗在一起。

战不到二十回合，韩滔力怯，渐渐不敌，只待要走。这时，后面主将呼延灼已到，见韩滔战秦明不下，便提起双鞭，纵坐下那匹御赐踢雪乌骓，咆哮着来到阵前。秦明正待要战呼延灼，第二拨人马林冲已到。林冲在后面叫道："秦统制少歇，看我与他大战三百回合。"说着，挺起手中蛇矛，直奔呼延灼。秦明自带军马转到山后去了。林冲与呼延灼斗在一起，两人棋逢对手，鞭来矛去，战了五十回合不分胜负。

这时，花荣又到，林冲带本部人马也转到山后。花荣与呼延灼后军将军彭玘战在一处，两个战不到二十回合，彭玘不敌，呼延灼又拍马上来助战。这时，扈三娘已到，与彭玘战在一起，花荣也退回本阵，带领人马转到山后。

两人战势未定，孙立早带兵赶到，勒马在阵前，观看扈三娘战彭玘。只见两个在征尘影里，一个使大杆刀，

扈三娘取出红锦套索，将彭玘套下马来。

一个使双刀，斗了二十多个回合，扈三娘将双刀分开，回马便走。彭玘立功心切，在后就追。扈三娘将双刀挂起，取出红锦套索，等彭玘来到，把套索望空中一撒，便将彭玘套下马来。孙立喝叫众人活捉了。

呼延灼的连环马军，每三十匹一排，用铁链连在一起，直向宋江阵营冲过去。

呼延灼见状大怒，拍马来救，扈三娘迎住。呼延灼挥鞭，恨不得一口吞了扈三娘，却是急切战不下。孙立又挺枪纵马，替下扈三娘，来战呼延灼。

此时宋江已带领十个头领并大队人马赶到，在背后列好阵势。宋江见活捉了天目将军彭玘，心中甚喜。呼延灼与孙立战了三十回合，不分胜负。官军营里韩滔指挥军马，一起向前厮杀。宋江这边各路兵马也一起夹攻过来，各个抵住。只见那呼延灼军队却是连环马军，马带马甲，只露四蹄悬地；人披铠甲，只露一双眼睛。宋江阵上虽有甲马，但只是红缨面具，铜铃雉尾而已。这边箭射过去，那边甲都护住了；那边箭射过来，这边却难以躲避。宋江急命鸣金收兵，呼延灼也退回二十里下寨。

宋江回到营寨中，亲自为彭玘松绑，以礼相待。彭玘感他义重，遂入伙落草。此事暂且不提。

且说第二日，宋江将马军分作五队在前，十将在后策应。秦明当先叫战，却见对阵约有一千步兵，只是擂鼓呐喊，却无人出马交锋。宋江看了疑惑，暗叫后军撤退，自己纵马来到前队里观看。只见那一千步兵忽然分作两下，放出三面连环马军，直冲过来。那马军皆是三十匹一排，中间各用铁环锁住，一齐奔跑。宋江大惊，

内蒙古马

蒙古马是中国乃至全世界较为古老的马种之一，主要产于内蒙古草原，是典型的草原马种。蒙古马体格不大，身躯粗壮，四肢坚实有力，耐劳，不畏寒冷。经过调驯的蒙古马，在战场上不惊不诈，勇猛无比。

梁山泊晁盖、宋江等人见识了火炮的厉害，大惊失色。

佛朗机复原图

佛朗机是古代一种后装火炮。该炮前有准星，后有照门做瞄准之用，并备有子铳五个，可供轮流发射，大大提高火炮的命中率，威力极大。

急命施放弓箭，哪里抵挡得住？那连环马军，漫山遍野，横冲直撞过来。

这边前面五队压不住阵脚，全跑乱了。后面大队人马，拦挡不住，也各自逃生。宋江由十将保护着慌忙逃走，早有一队连环马军追过来，幸亏有李逵、杨林两路伏兵杀出来，方救得宋江。宋江逃到水边，又有李俊、张横、张顺、三阮兄弟救应，众头领纷纷逃到梁山下鸭嘴滩水寨，人马折损一半。

这一仗，呼延灼大获全胜，将捷报奏到东京，又在东京请来一个炮手凌振，以攻梁山水寨。凌振名号轰天雷，善造火炮，其火炮可远射十四五里地，炮落处，天崩地陷，山倒石裂，威力无比。凌振来到呼延灼军中，带来了各种做好的火炮并一应炮石、炮架、烟火、药料等，他参拜了主将后，便安排了三等火炮轰击水寨。第一是风火炮，第二是金轮炮，第三是子母炮。凌振先让军士整顿炮架，到水边竖起，便准备放炮。

此时，宋江正在鸭嘴滩小寨内与吴用商议破阵之法，忽有小喽啰来报官军新来一个炮手凌振，正准备用火炮攻打寨栅。吴用听了道："这个不妨，我山寨四面都是水泊，港汊甚多，宛子城离水又远，纵使他有飞天火炮，如何能打到城边？且弃了鸭嘴滩小寨，看他怎样施放，再做商议。"

当下宋江等人离开小寨，都动身到了关上，晁盖与公孙胜正要问如何破敌，早听得山下炮响。一连三个水炮，两个打在水里，一个直打到鸭嘴滩小寨内。众头领听说，尽皆大惊失色。宋江心中忧闷，吴用道："若能将凌振引到水边，擒了此人，方能商议破敌之策。"晁盖听说，便安排李俊、张横、张顺、三阮兄弟等人去行事。

六人领了命，分作两队，李俊与张横先带四五十个水军驾两只小船，从芦苇深处悄悄划到对岸；背后有张顺、三阮接应。且说李俊与张横上到岸上，将炮架推翻，早有人报知凌振，凌振便带着风火二炮与一千军马赶过来。李俊、张横见他来了，领人便走。凌振追到芦苇滩边，见水中有四十余只小船一字儿排开。李俊、张横早跳到船上，故意不开船，见人马来了，都纷纷跳进水里。凌振人马便来抢船。这时，做策应的朱仝、雷横在对岸擂鼓呐喊。凌振见状，夺了许多船只，叫军士们上船杀过去。船刚行到波心，只见岸上朱仝、雷横敲起锣来，水下早钻出四五十个水军，把船尾楔子都拔了。水涌到船里，梁山水军就势把船推翻，众官兵全掉进水里。凌振惊慌，正要回船，船橹已被拽下水底去了。两边钻出两个头领，把船一扳，凌振便被翻进水里。水底下钻出阮小二，一把抱住，直把凌振拖到对岸上来。其余官兵有的被擒，有的淹死在水里，只有少数逃得性命回去。

呼延灼闻报，急忙带军马来赶，此时船已过鸭嘴滩去了，箭又射不着，呼延灼只得气恼得带人马回去。

凌振被带到梁山山寨上，宋江亲自松绑，凌振感谢不杀之恩，就此入伙。聚义厅上，宋江又与众人商议如何破解连环马，金钱豹子汤隆站起来，献了一条良策。

楔子：插在木器的榫子缝里的木片，可以使接榫的地方不活动。许多木器都得用楔子来加固木板接洽处，如木船、房门等。

梁山泊好汉用计捉了轰天雷凌振。

短袖锁子甲复原图

锁子甲是古代的一种新式铠甲，它可以直接罩在战衣外面，遮盖面积大，保护力强。宋代铠甲大致继承晚唐时期的服饰，有金装甲、连锁甲、锁子甲、明光细网甲等多种铁甲。

｜第三十一章｜
钩镰枪巧破连环马

且说汤隆站起身，说出一番话来。这汤隆是李逵与戴宗寻访公孙胜时，在路上认的兄弟，由李逵带到山上来的。汤隆祖代以打造军器为生，只听他道："先朝曾用过这连环甲马取胜，要破这阵，须用钩镰枪方可。汤隆祖代打造军器，传有钩镰枪画样在此，若要打造，即可下手。只是我虽是会打，却不会使。若找会使的人，只有我一个姑舅哥哥，他家这钩镰枪法，祖传习学，不教外人。或马上，或步行，都有法则，十分神出鬼没。"林冲听了问道："你所说的此人莫不是金枪班教师徐宁？"汤隆回答："正是。"

宋江又问如何能让他上山来。汤隆道："我这表哥

汤隆向众人介绍表哥徐宁，说徐宁能破连环甲马。

家有祖传的一件宝贝，是一副雁翎砌就圈金甲。这一副甲，穿在身上，又轻又稳，刀枪剑矢皆不能入。多有贵公子要求一见，徐宁都不肯给人看，他将此甲视若性命，装在一个皮匣子里，终日挂在卧房中的梁柱上。若能把他这副甲偷得来，不愁他不到这里。"吴用道："若是如

时迁到徐宁家盗取雁翎砌就圈金宝甲。

此，何难之有？可请时迁兄弟去走一遭。"时迁道："若有此物在他家里，我好歹定要取来。"

汤隆又对宋江说了一番赚徐宁上山的计策，宋江点头称妙。于是众人分头去安排。

且说时迁离了梁山泊，一路来到京城，先找个客店歇脚，次日打听到徐宁的住处，便将他家楼院各处都暗暗相看了一回。到了晚间，时迁悄悄溜到徐宁家后门边，爬过墙去，来到一个小院子，溜到卧房处，从戗柱上爬到上面，蜷伏做一堆。他向那卧房里张望，见徐宁正和妻子并孩儿在房里烤火，再看那梁上，果然有一个大皮匣子吊在那里。

等到二更，徐宁一家三口安歇。四更，徐宁起来梳洗罢到朝里当值。时迁待徐宁走后，悄悄爬到梁上，拿芦管将房里灯吹灭了，然后轻轻将皮匣子从梁上解下来。得了皮匣，时迁悄悄溜出徐宁家，一口气奔到城外。此时天还没亮，他急急向东奔走。走了四十多里，只见一个人撞过来，正是神行太保戴宗。时迁让戴宗先把皮匣里的雁翎甲拿回山寨，自己将匣子放在明处，一路走去。又行了二十多里，碰到汤隆，汤隆吩咐时迁，凡见到墙上画白粉圈的酒店，就进去歇息。二人商议好后，时迁自背了皮匣依计去了，汤隆赶往京城里来。

戗柱：指支撑房门木柱的斜向立柱。古代木板门扇厚重，其自重力量以及开关门扇的旋转力量，全靠木柱来支撑。为了使之坚牢，不摆动，必须要用戗柱来支顶，这样才能使木柱增加坚固性。

徐宁向众人演示钩镰枪法。

且说徐宁娘子待天亮后，发现皮匣子不见了，急忙派人去找徐宁。徐宁到黄昏时才回来，听说宝甲失盗，叫苦道："这副雁翎甲，是祖宗四代传下的宝贝。多少人要看，我都推说没了，只想等日后军前阵后要用。如今被人盗去，若声张起来，枉惹人耻笑。如何是好？"

徐宁一夜在家苦闷，到了第二日天明，忽然汤隆来访。徐宁说起雁翎甲失盗之事，汤隆说他在路上曾看到一个瘦小汉子背了个羊皮匣子，多半是他偷去了，引徐宁去赶。徐宁追甲心切，不知是计，一路随汤隆赶去。汤隆每见了画白粉圈的酒店就进去歇脚，酒家都说曾见过背皮匣子的汉子。徐宁信以为真，被汤隆一步步引到梁山上。晁盖、宋江、林冲等人见了，都来与徐宁赔话，诉说原委。徐宁见状，只得答应入伙，只是担心家中老小。过了数日，汤隆等人便到东京把徐宁家眷及彭玘、凌振的家小都接到山上来。

凤凰镰

镰是古代一种枪和镰刀相结合的兵器，一般刃部是枪头和镰合成。凤凰镰的枪头为四棱形，两边薄刃，镰横于枪头之下，头向下倒钩，柄为木制。这种兵器既可刺，又可钩，具有一器多用的功能。

这边钩镰枪早就按汤隆的样图打造好，由徐宁指挥，教精壮小喽啰学使钩镰枪法。徐宁在聚义厅上，拿起一把钩镰枪，使了一回，众人看了喝彩。徐宁道："但凡马上用这军器，一般有九个变法，皆是钩、拨、搠、挑。步行用这钩镰枪，最是得用。有三十六步使法，分钩、镰、搠、缴，腾上挪下，钩东拨西，十分神出鬼没，变化多端。"众人听了，尽皆瞠目。徐宁又将正路枪法一遍遍演示，叫众头领看，众人直是喝彩。

此后，山寨六七百精壮喽啰日夜习学钩镰枪法，徐宁又教步军藏林伏草、钩蹄拽腿等下三路暗法。不到半月时间，大家都操作熟练。

再说呼延灼自从彭玘、凌振被捉，日日到水边叫战，梁山上却不出战，宋江只暗暗叫凌振制造诸般火炮，待时机成熟，下山对敌。

这一日天刚亮时，呼延灼坐在军中，忽有人来报宋江等人在对岸擂鼓呐喊。呼延灼连忙披挂整齐，领了连环甲马，杀奔梁山泊而来。这时，正南、东南、西南上各有一队人马摇旗呐喊，韩滔来报，呼延灼道："这厮多时不出来厮杀，这时出来，必有计策。且不管他，只顾让连环马冲过去。"

话音未了，只听北边一声炮响，呼延灼骂道："这炮必是凌振叛贼教他们施放的。"这时，又见北边竖起三队旗号，西边也有四队人马冲出来。呼延灼心慌，忽听正北上连珠炮响，那炮是子母炮，一个母炮接着四十九个子炮，响处风威大作。呼延灼兵马，不战自乱。韩滔和呼延灼皆引兵向四下冲突。宋江这边十队步兵将官军围住，呼延灼大怒，引兵朝北面直冲过来。宋江军马见状，尽往芦苇中乱走，呼延灼大驱连环马，卷地而来。那连环马一起跑动，收勒不住，直向枯草荒林中冲去。这时，只听里面一声唿哨，埋伏的人一起伸出钩镰枪，先钩倒两边马腿，中间的马便咆哮起来，马上官兵坐不稳，纷纷落下马来。挠钩手上前一齐搭住，芦苇中喽啰只管

虎座鸟架战鼓

战鼓，古称鼗鼓，一般用牛皮蒙在木板鼓框上缝制而成，用于战场上擂鼓助战、传号令之用。早期战鼓有长筒形和锥筒形，到了明代，战鼓的形状多为扁圆形。

梁山军马用钩镰枪大破呼延灼的连环甲马。

马鞍

马鞍是放置在战马上的坐具。我国马鞍的广泛使用是在秦朝以后,战马上配备马鞍,是为方便骑军骑坐。马鞍大部分是用皮革制成,我国出土的古代马鞍以宋时契丹族的马鞍最为常见。

绑人。

呼延灼见连环马被钩镰枪所破,回马向南,去赶韩滔。背后风火炮又当头打下来,满山遍野都是梁山步兵追赶。此时韩滔所率领的连环马军,也滚入荒草芦苇之中,皆被捉了。

二人情知中计,只得各自夺路奔走。四边都是梁山泊旗号,呼延灼不敢乱走,只往西北方向上跑来。行不到五六里,前面拥出一彪人马拦住去路,为首的是穆弘、穆春兄弟两个。两人与呼延灼略斗一斗,回身便走,呼延灼也不追赶,又往正北大路走去。山坡下又转出解珍、解宝兄弟,两人也与呼延灼斗了几个回合,转身便走。呼延灼追赶不到半里之地,两边钻出二十多把钩镰枪,齐向他钩过来。呼延灼不敢恋战,拨转马头,又往东北大路而走。行不多远,却又撞上王英、扈三娘夫妻二人拦住去路。呼延灼见四面皆有拦阻,索性拍马舞鞭,直冲杀过去。王英夫妇追赶了一回,未曾赶上,呼延灼自往东北方向上去了。

且说宋江这边已鸣金收兵,大获全胜。三千连环甲马一部分被钩损马腿,拉到山上食用,大部分好马牵上山喂养,作为坐骑。生擒的步兵、马军都拘押在山上。刘唐、杜迁捉得韩滔,押到山寨。宋江也亲解其缚,劝其投降入伙。山寨自庆贺不提。

再说呼延灼折了许多官兵人马,不敢回京,独自一个骑着那匹踢雪乌

呼延灼的踢雪乌骓马险些被钩镰枪钩住。

雅，一路逃难，因没有盘缠，他将腰中的束腰金带解下来，换了些银两。呼延灼一路寻思：今日落得如此，却是投奔谁好？猛然想起曾与青州慕容知府有一面之缘，便打马奔向青州。

"呼延灼跳起来，提鞭出去，却见是他的乌雅马被人盗了。"

在路上又行了两日，呼延灼在路旁一个酒店里歇下。他把马拴在门前的树上，叫小二拿酒肉来吃，并道："我是朝廷军官，因征剿梁山强贼失利，欲往青州投慕容知府。我这匹马是圣上御赐的踢雪乌雅马，你好生给我喂养，明日我重重赏你。"小二道："离此间不远，有座桃花山，山上有几个强人，聚集着五六百小喽啰，专在此打家劫舍，相公晚间休息时须小心提防。"呼延灼道："我有万夫不当之勇，不怕那厮们来。你只管给我喂好这匹马。"

当夜，呼延灼因连日苦闷，又多喝了几杯酒，一觉睡到三更，忽听小二在外面叫嚷。呼延灼跳起来，提鞭出去，却见是他的乌雅马被人盗了。小二道："小人刚才起来给马上草，只见篱笆被推翻，相公的马不见了。远远望见三四里处有火把尚明，一定是到那里去了。"呼延灼急问道："那里是什么地方？"小二说那路正是去桃花山的，定是山上小喽啰把马偷走了。呼延灼闻言吃了一惊，便叫小二带路，赶了两三里，却未曾赶上。

金玉腰带

这是宋代官员在腰间所束的腰带，腰带上缀有一排方形和圆形的金玉饰片。唐宋官员以玉饰或金饰腰带来区分官阶的高低。宋太宗时，规定三品以上官员用玉带，四品以上用金带。

呼延灼闷闷回到店里，没有了御赐宝马，不知如何是好。小二劝解道："相公明日去州里告状，差官军来剿捕，方才能得这匹马。"呼延灼在店里坐到天明，无奈何，叫小二挑了衣甲，径奔青州而去。

第三十二章
取青州众虎归水泊

鲁智深抡起禅杖来战呼延灼。

且说呼延灼来到青州，拜见了慕容知府。这知府是徽宗慕容贵妃的哥哥，颇有些权势，前次斩杀秦明家眷的就是此人。慕容知府虽见呼延灼兵败，但知他厉害，便将呼延灼留在府中。

呼延灼住了几日，要乌骓马心切，便请知府拨给他两千军马，杀向桃花山。这桃花山上，占山为王的正是打虎将李忠与小霸王周通，当初鲁智深曾到此山上入伙，因见他二人小气，故此离开，后才与杨志占了二龙山。

呼延灼来到桃花山上，早有小喽啰报知李忠与周通。周通下山迎战，与呼延灼战了几个回合，抵敌不住，便逃回山上，与李忠商议请二龙山上的鲁智深、杨志等人来帮忙。

二龙山距桃花山不远，此时山上除鲁智深、杨志两个头领外，还有行者武松和菜园子张青、母夜叉孙二娘，以及金眼彪施恩、操刀鬼曹正等。鲁智深等人接到李忠、周通的书信，念在江湖义气，便下山来救护。鲁智深见了呼延灼，在马上大喝道："哪个是梁山泊杀败的撮鸟，敢来这里吓唬人？"呼延灼怒道："先杀你这个秃驴，出我胸中闷气。"两人各纵马战在一起。鲁智深抡动禅杖，呼延灼舞起双鞭，杖来鞭往，战了四五十回合，不

竹塔鞭

鞭是在唐代前后出现的兵器，多用青铜或钢制成，是一种靠较大的重量而获得打击力的短兵器。鞭多为六角形，因其多棱构造而更坚硬无比。与刀、剑相比，鞭更具有杀伤力，是骑兵爱用的武器。

分胜负。呼延灼暗暗喝彩道："这个和尚真是了得！"

这时，两军鸣金收兵，各自暂停歇息。片刻后，呼延灼又纵马出来，杨志出阵与他对战。两人斗了四十余合，又不分胜负，呼延灼心中气闷，两下就此收兵。

呼延灼回到帐中，正不知如何敌对鲁智深等人，忽然慕容知府差人来唤他回去，说白虎山强人孔明、孔亮来攻打青州，让他回城守备。那孔明、孔亮正是当初邀宋江到自家庄上住的孔太公的两个儿子，兄弟俩因和一个财主争斗，把财主全家都杀了，故此占住白虎山，打家劫舍。青州知府捉了他们的叔叔孔宾，两人为此来攻打青州。

如汤沃雪：像热水倒在雪上一样，形容事情容易解决。汤，指热水，古时叫法。

呼延灼回去后，便与孔家兄弟交战，捉了孔明。孔亮逃走，路遇武松，武松将他带到二龙山上。孔亮拜请鲁智深等人救出叔叔和兄长。杨志道："若攻打青州，要用大队人马，须请梁山泊宋江等人来帮忙方可。"众人点头称是。孔亮随即到梁山拜见宋江，宋江得知缘故，便与晁盖等人商议，调拨军马下山来攻打青州。

宋江带人马来到青州后，扎下营寨。武松引鲁智深、杨志、李忠、周通等人来与宋江相见。大家一一叙礼，各诉相慕之情。

宋江率军人来到青州，武松引鲁智深、杨志等人与宋江相见。

次日，宋江与众人商议打青州之事，杨志道："如今青州只凭靠呼延灼一个，若拿得此人，破此城，如汤沃雪。"吴用笑道："此人不可力敌，只可智取。"宋江问计，吴用道：

宋代官服

　　宋代官服服色沿袭唐制，三品以上服紫，五品以上服朱，七品以上服绿，九品以上服青。其服式大致近于晚唐的大袖长袍，只是冠帽改为平翅乌纱帽。此官服应为七品或六品官服。

　　呼延灼刚追到枯树边，不由得失声喊叫，连人带马都掉进了陷坑。

　　"只须如此如此。"宋江大喜，当下分拨人马。

　　第二日，众军来到青州城下，四面围住，擂鼓呐喊。呼延灼披挂整齐，出城迎战。秦明当先出阵，厉声高骂城上慕容知府道："滥官，害民贼徒！杀我全家，今日定要报仇雪恨。"慕容知府认得秦明，也厉声回骂。呼延灼拍马来斗秦明，两人斗了四五十合，不分胜负。那知府怕呼延灼有失，忙叫鸣金收兵。

　　次日天未明时，军校来报说城北门外土坡上有三骑在那里偷看城池。呼延灼料到是宋江等人，连忙披挂上马，提了双鞭，带一百余马军，悄悄出了北门。他赶到土坡上，见果然是宋江、吴用、花荣三人正呆着脸看城。三人见了呼延灼，拨转马头，慢慢走去。呼延灼奋力追赶，赶到几株枯树旁边，不由得失声喊叫，却是正踏着陷坑，连人带马都跌下坑去了。两边上来五六十个挠钩手，不由分说，将呼延灼搭出来，拿绳绑了。后面赶来的马军，被花荣当头射倒几个，其余的都一哄而散。

　　呼延灼被押到寨里，宋江急叫解了绳索，亲自把他扶到椅上坐定，然后拜请呼延灼入伙落草。呼延灼沉思半晌，也因是义气之人，又见宋江礼貌甚恭，遂叹了口气，答应入伙。宋江大喜，忙请呼延灼与众头领相见，并叫李忠、周通牵过那匹踢雪乌骓马来，还与呼延灼。

　　众人再次商议救孔明之计，呼延灼答应骗开城门，他带领十个头领假扮的军士，来到城下，假说自己逃得命回来。慕容知府放他进城，十个头领进去，秦明一棒将那知府打下马来。众人放火的放火，救人的救人，不一时，便破了青州城，救出孔宾、孔明。

鲁智深与武松来到少华山，却没有见到史进。

破取青州之后，宋江班师回山。原来二龙山、桃花山、白虎山三山上的头领都烧了寨栅，到梁山上入伙。晁盖命人大摆宴席，庆贺鲁智深、杨志、武松、张青、孙二娘、李忠、周通等十二位新头领上山。宋江见山寨又添许多人马，心中甚喜，吩咐重造西路、南路两处酒店，招纳往来好汉。

忽一日，鲁智深对宋江道："我有个相识，唤九纹龙史进，现在华阴县少华山与朱武、陈达、杨春三人在那里聚义。洒家时常想念他，欲到那里走一遭，就让他四个来入伙，如何？"宋江也听过史进的名号，便让武松和他同去。

鲁智深、武松两个来到少华山下，早有小喽啰报知山上，朱武、陈达、杨春三个下山迎接，剪拂作礼。鲁智深没看到史进的身影，急切问道："史大官人在哪里？"朱武却道："前不久，一个画匠的女儿被华州贺太守强娶作妾。史大哥恰巧得知此事，抱打不平，只身一人到府里刺杀贺太守，却不慎被拿住，下在牢里了。"

鲁智深闻听史进被捉，骂道："这撮鸟敢如此无礼！洒家去结果了那厮。"武松道："哥哥不可造次。我和你星夜回梁山泊，请宋公明哥哥带人马来攻取华州，

剪拂：一指修整擦拭，比喻推崇，赞誉；二指削除；三指江湖隐语，即行下拜礼。这里应为第三种意思。

宋江等人把宿太尉
挟持到少华山上，欲借
他的御香、仪仗等一用。

华山

西岳华山，是我国著名的五岳之一。位于陕西省华阴县城南，秦、晋、豫黄河金三角交汇处，海拔2200米。华山南接秦岭，北瞰黄河，"远而望之若花状"，故有其名。又因其西临少华山，故又称太华山。

方可救得史大官人。"鲁智深叫道："等去山寨叫了人来，史家兄弟性命早不知哪里去了。"说完，不听众人苦劝，自提了禅杖、戒刀，直奔华州城而去。朱武见状，忙派两个小喽啰跟下去打听消息。

鲁智深奔到华州城里，正碰到贺太守带人出行。他正寻思下手，不想贺太守那厮狡猾，瞧出端倪，倒先用计把他也给捉了。小喽啰探听得消息，急忙飞报山上。武松闻报大惊，正不知如何办好，戴宗正好来到，武松诉说鲁智深被捉一事。戴宗又急忙用起神行法，返回梁山报信。

宋江得知消息，点齐人马，赶到少华山来。此时正逢上一个宿太尉到西岳华山降香。众人用计把宿太尉挟持到少华山上，宋江又亲自扶他到聚义厅正中椅子上坐下，与他赔礼，欲借他的御赐香烛、仪仗器具等一用。那宿太尉是个聪明的人，见宋江十分礼貌，其余众人都是一副恶煞模样，不敢不借。宋江遂吩咐叫把太尉带来的随从的衣服都借穿了，又让一个小喽啰假扮做太尉，众人都装扮停当，一起往西岳庙里来。

那贺太守听说宿太尉到了西岳庙里，忙差州里推官先来拜见。吴用故意拿出御赐金铃吊挂让推官看了，以防他生疑。推官与众公差都见了许多物件文书，哪还有疑心，径回华州府里，报告太守。

推官：唐代时开始设置此官职，为节度使、观察使之附属官。宋代沿用此制，实际上成为一州郡佐助最高长官办理各种事务的官员。元明时各州府仍设推官，以掌理刑狱。清时废弃。

宋江暗地喝彩道："这厮虽是狡猾，也骗得他眼花心乱。"此时，武松、石秀已暗藏兵器守在庙门，花荣、徐宁、朱仝、李应四个扮做衙役分列两旁。解珍、解宝兄弟与杨雄、戴宗各藏暗器，侍立左右。

且说那贺太守带领三百余人来到庙前下马，都簇拥进来。吴用拦住喝道："太尉在此，闲杂人等不许近前。"众人都住了脚，贺太守一人进前来参拜，吴用又道："太尉请太守进一步说话。"贺太守便又往里面走，见了假太尉便拜。吴用喝道："太守，你知罪吗？"那太守只道是怪他未曾远接，还待分辩。吴用喝一声："拿下。"解珍、解宝早上来，抽出短刀，一脚把贺太守踢翻，便割下头来。宋江喝叫动手，外面众好汉一起行动，把那三百官差尽皆杀了。

众人又都赶到华州城里，救出史进、鲁智深二人，劫了府库。然后一行人回到少华山上，见了宿太尉，还了御香、仪仗等物，送他下山。之后，史进、朱武四人也烧了寨栅，随宋江等人一起往梁山泊而去。

解珍、解宝上来，一脚把贺太守踢翻，上前结果了他。

｜第三十三章｜
晁天王中箭曾头市

西域中亚马

此类马膘肥体壮，器宇轩昂。其体质结构坚实，头、身大小适中，善于在各种草场和气候下觅食，善跋山涉水，具有耐走、轻捷、灵活、平稳的特性。西域中亚马被引进中原后，对改良中原马种具有很大的影响。

段景住前来拜见宋江，诉说照夜玉狮子马之事。

且说宋江等人回到梁山上，忽一日朱贵来报说徐州芒砀山的三个头领樊瑞、项充、李衮要来挑战梁山泊。宋江闻报大怒，又带兵下山攻打芒砀山，擒了项充、李衮二人，然后说服他们入伙，二人感恩，又劝说樊瑞归降，就此熄了刀兵。

宋江带领人马回到梁山泊边上，正要渡水回山，忽见芦苇边大路上过来一个大汉，见了宋江便拜。宋江慌忙下马扶住，问他是何人。那大汉道："小人段景住，人称金毛犬，今春盗得一匹好马，这马浑身雪练似白，能日行千里，唤作'照夜玉狮子马'，本欲献给宋公明哥哥做进身之礼。不想在凌州曾头市上过时，被那曾家五虎夺了去。小人敌他们不过，走脱了，特来告知。"

宋江见段景住相貌奇特，仪表非俗，便让他一同到梁山上，与樊瑞、项充、朱衮三人一起拜见了晁盖等人，都在山上做了头领。日后，段景住又说起那匹马的好处，宋江便让戴宗到曾头市上打听那马的下落。

四五日后，戴宗回来对众头领道："这曾头市上，共有三千余家，内有一个曾家府，府上有五个儿子，号称曾家五虎。老大曾涂、老二曾密、老三曾索、老四曾魁、老五曾升。还有一个

枪棒教师史文恭，那匹狮子马便是他骑坐了去。他那里有六七千人马，扎下寨栅，发誓要与我梁山为敌。还有人杜撰几句言语，叫街上小儿传唱，说什么'扫荡梁山清水泊，剿除晁盖上东京。生擒及时雨，活捉智多星'。"

　　晁盖听了这番言语，勃然大怒，叫道："这畜生怎敢如此无礼？我须亲自去走一遭，不捉得此辈，誓不回山。"宋江连忙劝道："哥哥是山寨之主，不可轻动，小弟愿往。"此次晁盖却气冲牛斗，非亲往不可。他当下点起五千人马，请林冲、呼延灼、徐宁、三阮、杨雄、石秀等二十个头领下山，前往征剿曾头市。

　　出发当天，宋江等人送行，却有一阵狂风刮折了晁盖新制的认军旗，大家都觉兆头不祥，纷纷劝晁盖改日出兵。怎奈晁盖这次却一意孤行，众人执拗不过，只好送他并二十位头领下山了。

　　晁盖率众军来到曾头市上，在平川旷野处摆下阵势，曾家也列队迎战，老大曾涂在对阵骂道："反国草贼，我定要活捉你等，解上东京，碎尸万段。"晁盖大怒，挺枪出马，直奔曾涂。后面众将怕晁盖有失，一起

晁盖大怒，挺枪拍马来战曾涂。

认军旗：即认旗。指行军时主将作为标识的旗帜。旗上有不同的标记，以便士兵辨认。

晁盖不听林冲劝阻，执意要跟两个和尚去曾头市劫寨。

寺院

寺院是佛教的庙宇，是佛教徒和俗家弟子参拜礼佛的地方。一般里面供有神佛或历史名人，有僧人居住把守。宋代是一个崇奉宗教的时代，在民间，佛教尤盛，到处可见香火旺盛的大小寺院。图为山西平遥双林寺。

掩杀过去，两军混战。曾家军马一步步退回村里，林冲、呼延灼护定晁盖，东西赶杀，见路径不好，急忙退回来收兵。

这一阵，双方都折了些人马，晁盖忧闷不乐，众将都上来劝解。此后一连三日，每日叫骂，曾头市上都不见一人出来应战。

到第四天，忽有两个和尚来到晁盖营里投拜，二人对晁盖道："小僧是曾头市东边法华寺里的僧人，时常被曾家五虎来搅扰，索要金银，受尽他们的欺侮。小僧已知他的出入门户，特来拜请头领去劫他寨栅，剿除了那厮们，也是我等百姓的造化。"晁盖闻言大喜。林冲在旁谏道："哥哥休听他言语，莫非其中有诈？"那和尚却道："小僧是出家之人，怎敢妄语？久闻梁山泊替天行道，我等故来拜投，怎会暗赚头领？"晁盖求胜心切，他道："兄弟休生疑心，误了大事。今晚我亲去走一遭。"林冲又劝他留在寨里接应，晁盖却非要亲去不可。当夜，他点了一半人马，带呼延灼、刘唐、三阮等十个头领随两个和尚直奔法华寺而去。

到了寺里，晁盖众人下马，却不见僧众，问是何故。和尚道："小寺被曾家骚扰，僧人都各自还俗去了。头领先暂驻人马，等夜深些，小僧引头领到那厮们寨里。"晁盖问那寨在哪里，和尚道："他有四个寨栅，唯有北寨是屯兵处，打下这个寨子，别的不攻自破。"晁盖又问什么时候可去，和尚只说等三更时分。

等到过了二更半，却听不到更点之声，和尚道："想必是军人睡了，现在可去。"晁盖也未生疑，带众将跟着和尚离了法华寺。行不到五里多路，黑影里却不见了两个和尚，前军见四边路杂，不敢行动，报知晁盖，呼延灼急叫回旧路。走不到百十步，只听四下里金鼓齐鸣，喊声震天，一望全是火把。晁盖大惊，引众军夺路而走，刚转过两个弯，前面撞出一彪人马，当头将乱箭射过来。不期一箭，正中晁盖脸上。晁盖大痛，跌下马来。幸亏呼延灼、燕顺两骑马拼死奔过来抵住，后面刘唐、白胜救晁盖上马，众人方杀出村来。村口有林冲等人接应，两军直杀到天明，方才各自回寨。这一仗，梁山军马前去的两千多人，折了一半。

宋代三弓床弩

宋代兵器中弓弩的应用十分广泛，弩为步兵使用，一般要用脚力才能张开弩，故射程比一般弓箭要远。三弓床弩，又称八牛弩，可连发三箭，箭矢有如标枪，以坚硬的木头为箭杆，以铁片为翎，射程较远，穿透力极强。

众人将晁盖扶回营帐，见那箭正射在面颊上，着人用力拔出箭来，晁盖疼昏过去。众人看那箭上有"史文恭"字样，原来是一支毒箭。林冲叫取金枪药给晁盖敷上，此时晁盖中了箭毒，已说不出话来。林冲见他伤势沉重，不敢耽搁，叫人把晁盖扶上车子，差三阮、杜迁、宋万送回山寨。其余十五个头领，皆闷闷不已，众军都有还山之意。

当夜曾家又派四五路军马杀来，林冲带人马且战且退。退了五六十里，方才得脱。林冲计点人兵，又折了六七百人。众军只得回到梁山泊。

且说晁盖此时已水米不进，浑身浮肿。宋江守在床前啼哭，亲手为晁盖敷药灌汤，众头领皆守在

前面乱箭射来，一箭正射在晁盖脸上。

消灾延寿金钱

　　这是一种随葬的冥钱。古人相信鬼神，一般将这种冥钱放在棺木之中，以供死去的人在阴间使用。我国在唐代时就已出现随葬金银冥钱的现象，以后各朝各代皆保留这一习俗。

帐前。当夜三更时分，晁盖身体沉重，转身对宋江嘱咐道："贤弟保重。若哪个捉到射死我的，便叫他做梁山寨主。"说完，便瞑目而去。宋江大哭，如丧父母一般。吴用、公孙胜劝道："哥哥且不要伤痛，理会大事要紧。"

　　宋江哭罢，叫人把晁盖的遗体用香汤沐浴了，装殓衣服巾帻，又让人打造棺椁，选吉时停在正厅上，建起灵帏，设了灵位，上写"梁山泊主天王晁公神主"。众头领自宋江以下，都戴重孝，举哀祭祀。寨内扬起长旛，请附近寺院僧众上山来做功德，追荐晁盖。

　　宋江每日领众举哀，无心管理山寨事务。林冲与吴用、公孙胜等人商议，决定立宋江为梁山泊寨主，统领全寨。这日清晨，以林冲为首，众头领请宋江到聚义厅中坐定。吴用、林冲先开口道："国不可一日无君，家不可一日无主。晁头领归天去了，山寨偌大事业，岂可无人管理？四海之内，皆闻哥哥大名，就请哥哥为山寨之主，诸人都拱听号令。"宋江道："晁天王临死时吩咐：若有捉得史文恭的，便立为梁山泊主。如今人死尸骨未寒，岂可忘了？"

　　吴用又劝道："晁天王虽是如此说，但寨中人马如何管理？哥哥权且尊临此位，日后再作计较。"宋江本待再推辞，但又想吴用所言极是，便道："小可就暂居此位，待日后报仇雪恨，不管何人拿住史文恭，就让他做梁山泊主。"李逵在一旁不耐烦道："哥哥休说做梁山寨主，便做

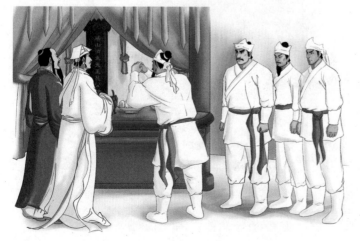

宋江率众头领追悼晁盖。

了大宋皇帝，岂不好？"宋江喝道："你这黑厮又来胡说！再如此胡言乱语，我先割了你舌头。"

吴用又请宋江主持大事。宋江焚一柱香，便坐了第一把椅子。上首军师吴用，下首公孙胜。左一边林冲为头，右一边呼延灼居长。众人都参拜了，两边坐下。

在众人拥护下，宋江坐上了梁山泊第一把交椅。

宋江道："小可今日权居此位，全赖众兄弟扶助。如今山寨人马众多，非比往日。聚义厅可改为忠义堂。再请众位兄弟分六寨驻扎。前后左右四个旱寨，后山两个小寨，前山三座关隘，山下一个水寨，今日皆请兄弟们分头去管。"随后，宋江便一一作了安排。

忠义堂上由宋江、吴用、公孙胜、花荣、秦明、吕方、郭盛居住把守。左寨内是林冲、刘唐、史进、杨雄、石秀、杜迁、宋万；右寨内是呼延灼、朱仝、戴宗、穆弘、李逵、欧鹏、穆春；前寨内也是七位头领，以李应为首；后寨内以柴进为首；水寨内以李俊为首；山前三关由雷横、解珍兄弟、项充、李衮等人分别把守；山下两小寨由王英夫妇、朱武、陈达等人分别把守。如此等等。

一切安排都情理得当，有条有序。众人都依宋江之言，各自管理各分寨事务。从此以后，整个大寨更加井井有条，由宋江做寨主，大小头领心里都十分欢喜。

长幡：幡，一种窄长的旗子，垂直悬挂。这里指旧俗出殡时挂的窄长像幡的东西，一般用白纸剪成。

| 第三十四章 |
智多星计取玉麒麟

吴用扮成算命先生，来为卢俊义算命。

话说晁盖去世后，一日，山上请到一位大名府龙华寺僧人大圆来做道场。闲话之间，宋江问起大名府的风土人情。那大圆道："头领如何不闻河北玉麒麟的名号？"宋江听了，猛然想起道："梁山泊山寨若得了这卢员外，何怕他官军缉捕，兵马来临？"吴用听了笑道："若要此人上山不难。小弟前往北京，凭三寸不烂之舌定能说得他来。"原来北京城里有个卢员外，双名俊义，绰号玉麒麟，远近闻名。此人有一身好武艺，棍棒天下无双。

吴用话犹未了，李逵连声叫着要跟他一起去。吴用要他扮做道童，一路不许喝酒，不许说话，装做哑巴才准他去。李逵只想出去痛快，都一一答应。

二人次日下山，不几日来到北京大名府，吴用扮做算命先生，道童李逵挑着个纸招儿，上写着："讲命谈天，卦金一两。"一脚深一脚浅地跟在后面。两人故意在卢俊义家门外走来走去，北京城里的许多小孩跟着他们哄笑。

北京古城墙

图为北京古城墙一角。中国历史上曾有多处地方被命名为北京，其中包括山西太原、河南开封以及现在的北京等地。而宋代的北京是指河北省大名县，当时也叫大名府，为宋仁宗所建。

那卢员外正在门里厅上坐着，听到街上喧闹，问明情况，便让家丁把算卦人叫进来。吴用与李逵来到厅上，卢俊义请二人入后堂分宾主坐定，先付了一两卦金，然后道："君子问灾不问福，只请先生推算一下眼前运势。"吴用道："请问贵庚月日。"卢俊义道："在下今年三十二岁，甲子年乙丑月丙寅日丁卯时生。"吴用取出一把铁算子来，排在桌上算了一回，大叫一声："怪哉！"卢俊义惊问道："是何吉凶？"吴用道："员外不要怪我直言。员外这命，目下不出百日必有血光之灾：家私不保，死于刀剑之下。"

卢俊义听了，只笑不信。吴用故意变了脸色，将银子还了卢俊义，起身便走，口里叹道："原来天下人都要只听好话。罢了，本要指条活路给员外，却是忠言逆耳。小生告退。"卢俊义见状，倒有几分信了，连忙叫住吴用，愿听指教。吴用道："小生直言。员外贵命，今年正交恶限。此乃天定，不可逃也。"卢俊义问回避之法。吴用再用铁算子假装算了一回，便道："只除非去东南方千里之外，方可免此大难。员外命中有四句卦歌，请员外写于壁上。日后应验，方知小生卦灵。"

吴用这一番故弄玄虚，由不得卢俊义不信，他忙叫取笔砚来，吴用口歌四句："芦花丛里一扁舟，俊杰俄从此地游。义士若能知此理，反躬逃难可无忧。"当下卢俊义便在白粉壁上写了，不知道这却是一首藏头反诗，每句诗取头一个字，联起来正好是"芦（卢）俊义反"。吴用见卢俊义已经上钩，便收拾起算子告辞不提。

且说卢俊义自算卦之后，时刻坐立不安。第二日，他便让管家李固跟自己一起到山东做生意避难，让家仆燕青在家里看家。众人违他不过，只好收拾了十辆太平车子，装上货物，李固与几个家丁

八卦

　　八卦是我国古代一套有象征意义的符号，相传为伏羲所造。"—"代表阳，"- -"代表阴，这样的三个符号组成八种形式，又分别代表天、地、水、火、雷、山、风、沼泽。八卦互相搭配又得六十四卦，用来象征各种自然现象和人事现象。古人常用它来进行占卜。

甲子：指甲子年，古代干支纪年法。即用天干"甲、乙、丙、丁、戊、己、庚、辛、壬、癸"和地支"子、丑、寅、卯、辰、巳、午、未、申、酉、戌、亥"相配，共配成60组，用来表示年、月、日、时，周而复始，循环使用。下文的"乙丑"、"丙寅"、"丁卯"与此同。

　　吴用念了首藏头反诗，让卢俊义在墙上写了。

跟着卢俊义一起出了家门，往山东而去。

众人在路上行了数日，正好来到梁山附近的一片树林边。忽然，一阵锣响，从林里撞出八九百个小喽啰截住前后路。众人惊魂未定，又听一声炮响，林里腾地跳出一个大汉来，正是李逵，李逵叫道："卢员外，你中了俺军师的计了，快来坐把交椅吧！"卢俊义猛然醒悟，大怒，拿起朴刀来斗李逵。斗不到两三个回合，李逵转身往林子里走了。卢俊义随后赶去，赶了半天，却不见了人影。

声喏：即唱喏。指古代下属晋见上级，一面拱手作揖，一面出声致敬。

随后，鲁智深、武松、刘唐、李应等人又接替来战卢俊义，众好汉都是晃两招便走。卢俊义斗了一身汗，回来寻自己车仗时，却见李固等人被小喽啰们绑上山去了。卢俊义大怒，提着朴刀赶过去，直追到山坡下，只听山顶上有音乐之声。他抬头一看，红罗伞下，宋江、吴用、公孙胜等人都站那里。旁边随从二百余人，一齐声喏道："员外，别来无恙！"

卢俊义见吴用正是那算命先生，大怒，指名叫骂。

卢俊义在山下叫骂，花荣拈弓搭箭，要来射他。

小李广花荣从宋江背后走出来，拈弓搭箭，看着卢俊义喝道："卢员外休要逞能，先叫你看花荣神箭！"话犹未了，飕地一箭，正中卢俊义头上毡笠的红缨。卢俊义吃了一惊，回身便走。山上鼓声震天动地，只见秦明、林冲引一彪军马，从山东边杀出来；又见呼延灼、徐宁也领一彪军马，从山西边杀出来。卢俊义走投无路，看看天晚，只顾往山僻小径间乱走。他瞎撞了半天，来到一片水泊边，想从水路逃走，却被李俊骗到船上，于水中被三阮、张顺活捉了去，押到山寨上。

宋江又亲解其缚，劝其入伙。卢俊义却是坚决不肯，宋江等人又留他在山上住些日子，先打发李固等人下山。卢俊义推辞不过，只得先留在山上。吴用在送李固下山时，却对李固说卢俊义已经做了山寨头领，他家那墙壁上写着一首藏头反诗。李固只顾应承着，下山逃命而去。

卢俊义回到北京城外，燕青衣衫褴褛地拦住他。

卢俊义在梁山住了一个多月，坚辞回家。宋江等人挽留不住，只好送他下山。卢俊义思家心切，不几日来到北京城外。当时正是清早，离城约一里处，卢俊义却见一人衣衫褴褛，看着他倒地便拜。卢俊义定睛一看，却是浪子燕青，燕青是他心腹家人，十分忠心，能使一张川弩，只用三枝短箭，射出去百发百中。

卢俊义见燕青这副模样，大吃一惊，问是何故。燕青道："李固回去后对娘子说主人归顺了梁山泊，坐了第二把交椅，当下便去官府首告了。如今他已和娘子做了夫妻，怪燕青碍眼，将我赶出城外，并吩咐一应亲戚相识不准收留燕青。燕青深知主人不会落草，故此忍这残喘，在这里候见主人一面。若主人果是从梁山泊来，可听燕青一言，再回梁山泊去，别做商议。若入城中，必中圈套！"

卢俊义听了大惊，喝道："我娘子不是那样的人，你休要胡说！"便要赶到家里看个究竟。燕青痛哭，趴在

弓和箭箙

这是一套弓箭设备，箭箙是盛箭的用具。弓箭可以远距离射杀敌人，良好的弓箭配上良好的射手，具有极大的穿透力和杀伤力。在古代兵器史上，弓箭凭借自己的威力，一直被当做超过剑和枪的制胜武器。

二三百公差冲到卢家，把卢俊义绑了。

屏风

屏风是用来挡风、遮障或装饰房间的家具，也是古人日常生活中不可或缺的器具。汉代时屏风就已被普遍使用，到了宋代，屏风制作更加精美，几乎每户厅堂必设屏风，通常摆放在厅堂正中间，其他家具则以它为背景设置。

地下拖住卢俊义的衣服不放。卢俊义大怒，一脚踢倒燕青，大踏步走入城来。

卢俊义奔到家里，大小家丁都吃了一惊。李固慌忙前来迎接，请到堂上，倒头便拜。卢俊义问道："燕青在哪里？"李固答道："主人且休问，实在一言难尽！先歇息再说。"卢俊义的娘子贾氏从屏风后出来。卢俊义又问道："娘子且说燕青在哪里？"贾氏也劝卢俊义先休息，吃了早饭再说。李固去安排饭食来，卢俊义心中疑惑，刚要吃饭，只听前门口喊声乱起，有二三百个公差抢进家来，不由分说就把卢俊义绑了，一步一棍，直打到留守司里。

当时梁中书正在公厅，卢俊义被拿到堂上，李固和贾氏也跪在一旁，指认卢俊义私通梁山。卢俊义这时才明白燕青说的是真的。梁中书一听与梁山有关，厉声拷问，更兼李固使了银子，不一时卢俊义便被用大刑打得屈打成招。李固又用钱财，欲让押牢的蔡福害了卢俊义性命。幸亏柴进及时赶到，给了蔡福千两银子，蔡福惧怕梁山好汉，帮忙上下打点，方才保得卢俊义周全。

最终梁中书以查无实证，葫芦提判卢俊义脊杖四十，刺配沙门岛。李固又买通两个押送差役，叫半路上害了卢俊义。卢俊义正要性命不保时，却得燕青一直暗中相随，用弩箭射死两个公差。燕青救了自家主人，此时卢俊义身上有伤，走不了路，燕青背他往梁山泊而走。不想半路上燕青去找吃的时，卢俊义又被官差捉去。燕青见了，思量半天，便决定独自上梁山请宋江等人帮忙。燕青一路走去，路上正遇到往北京探听卢俊义消息的石秀和杨雄。燕青将卢俊义又被捉一事说了，杨雄便带燕青回山寨报信，石秀一人赶往北京打听消息。

葫芦提：指糊里糊涂。多见于早期白话。

卢俊义被捉回来后，第二日便被拉到法场斩首。石秀赶到北京，正好碰上，他先来到法场边上一个酒楼里，靠窗坐下。不多时，只听得街上锣鼓喧天，石秀往外一看，只见十字路口，众人团团围住，众官兵前呼后拥地把卢俊义绑押到楼前跪下，却是蔡福与兄弟蔡庆为下刀刽子手。不一时，人丛里有人喊道："午时三刻到了。"楼上石秀听得，腰里掣刀在手，大叫一声："梁山泊好汉全伙在此！"随即跳下楼来，手举钢刀，杀人似砍瓜切菜一般，早砍翻了十几个。蔡福、蔡庆见状，也早撇了卢俊义，扯了绳索便走。石秀杀过来，一只手拖住卢俊义，投南而走。

石秀大叫一声，纵身跳下酒楼，来救卢俊义。

但是石秀却不认得北京的路，更兼卢俊义惊得呆了，走不动。不一时，众官兵公差都聚拢了来，将二人团团围住。石秀一人难敌四手，一个不注意，被挠钩搭住，两人都被捉到大牢里去了。

果下马

　　果下马是具有2000年历史的古马，也是一种罕见的马匹。此马原产高丽，可在果树下乘骑，故名。这种马毛褐色，高约三尺，长三尺七寸，体重只有一百多斤，但可拉1200～1500斤重的货物。

第三十五章
卢俊义活捉史文恭

　　话说卢俊义、石秀都被官兵捉住，关进牢里。宋江得知消息，两次发兵攻打大名府，最终破了北京城，救出卢俊义、石秀二人，中途又收了大刀关胜、丑郡马宣赞、井木犴郝思文、急先锋索超等好汉同上梁山。梁中书逃得性命，重回大名府，飞报他岳父蔡太师，蔡京又请奏徽宗，欲派凌州团练使圣水将军单廷珪、神火将军魏定国带兵前来攻打梁山。梁山上探听到消息，关胜、林冲先带人马到凌州，擒了单廷珪，又说服了魏定国，二将同归梁山。同时，李逵为打凌州，私自下山去，也带回焦挺、鲍旭两位好汉。

　　众人一起回到梁山脚下，却见段景住跑来，对林冲道："我与杨林、石勇前往北地买马，买了二百多匹好马，回至青州时，却被一个唤做'险道神'郁保四的，带领二百余人将马都抢了，送到曾头市去。石勇、杨林不知去向。小弟连夜逃回，报知此事。"林冲闻说，叫他回山寨后再商议此事。

　　众人一起来到梁山忠义堂上，拜见宋江。

众将攻打凌州归来，段景住走来与林冲说曾头市夺马一事。

宋江见又添几位好汉，十分欢喜。段景住上前细说被夺马一事。宋江听了，大怒道："上次夺我马匹，射死我哥哥晁天王，至今不曾报仇。今日又如此无礼，若不去剿灭这厮，岂不惹人耻笑？"吴用

卢俊义向宋江请战，吴用让他领四五百军马到平川埋伏。

道："如今春暖无事，正好厮杀。前者天王失其地利，如今必用智取。"他先叫时迁使出飞檐走壁的功夫，去探听消息。宋江又让戴宗飞去打听，立等回报。

不过数日，戴宗先回来道："这曾头市如今在市口扎下大寨，又在法华寺内做中军帐，数百里遍插旌旗，不知何路可进。"次日，时迁也回来报道："小弟到曾头市里已探知备细。他如今扎下东、南、西、北、中五个寨栅，分别由曾家五子与教师史文恭把守。"

吴用听罢，与众人商议道："既然他扎五个寨栅，我们也分调五路军马前去攻打。"这时，卢俊义起身道："卢某得蒙救命上山，未能报效。今愿领一路军马前去出战，不知尊意如何？"宋江听了道："员外如肯下山，便为前部。"吴用却谏道："员外初到山寨，未经战阵，山岭又崎岖，不可为前部先锋。可别引一支军马，前去平川埋伏，做接应之兵。"吴用的意思是怕卢俊义先捉住史文恭，宋江会让位给他，所以力主让卢俊义带同燕青，引领五百步军，到平川小路上埋伏。宋江见他如此说，也点头同意。

井木犴：即犴轩。传说中的一种走兽，状似狐狸，比狐略小，嘴为黑色。古代常把它的形象画在牢狱门上，故"犴"也借指监狱。在这里应指本义"走兽"的意思。

时迁受吴用之命到曾头市探听消息，见曾头市里掘下无数陷坑。

铁蒺藜

这是中国古代一种军用的铁质尖刺状的撒布障碍物，一般有四根尖刺。在古代战争中，将铁蒺藜撒布在地，用以阻碍敌军行动。铁蒺藜在战国时就已使用，宋代以后，其种类逐渐增多，除了布在地面上的，还有设在水中的"铁菱角"，在刺上涂敷毒药的"鬼箭"等。

随后吴用与宋江分调五路军马去攻打曾头市：正南大寨，差秦明、花荣、马麟、邓飞，引军三千攻打；正东大寨，差鲁智深、武松、孔明、孔亮，引军三千攻打；正北大寨，差杨志、史进、杨春、陈达，引军三千攻打；正西大寨，差朱仝、雷横、邹渊、邹润，引军三千攻打；正中总寨，由宋江、吴用、公孙胜率吕方、郭盛、解珍、解宝、戴宗、时迁，领军五千攻打。最后由李逵、樊瑞、项充、李衮等人，引马步军兵五千押后策应。其余头领各守山寨。

一切安排停当，大军便准备向曾头市压进。且说曾头市得知消息，曾家家长曾弄便与五子及教师史文恭、副教师苏定商议迎敌之事。史文恭道："梁山泊军马来时，我们只多挖陷坑，便捉得他强兵猛将。这伙草寇，用这条计，方为上策。"曾弄便让众庄客去村口各处掘下数十处陷坑，上面皆用浮土盖住，四下里埋伏好军兵，只等梁山军马到来。

这边宋江等人起行时，吴用早又暗使时迁前去打听情况。时迁领命前往，将曾头市掘下陷坑之事探听仔细，回来报知吴用。吴用心里自有了一番计策，他命大队人马前进，在曾头市前分头下寨，也掘下濠堑，布下铁蒺藜。

一连三日，曾头市不曾出来交战。吴用又让时迁扮做伏路小军，去曾头市寨中探听。时迁回来，将里面有几处陷坑，离寨多远，都探听仔细。吴用听了回报，于次日传令，叫人准备下柴草，命鲁智深、武松与朱仝、雷横两路人马去攻打东、西两寨，托住两寨兵马；再叫攻打北寨的杨志、史进，把马军一字儿摆开，只在那里擂鼓摇旗，虚张声势。吴用自带人马从山背后抄到南寨前，此时史文恭等人只等着梁山军马自陷到坑里，却未料到吴用叫人排出百余辆柴草车一起点燃，再让公孙胜作法，大火一直向曾头市南寨烧过去，将史文恭等人烧得大败。

次日，曾涂对史文恭道："若不先斩贼首，难以得胜。"然后，自率领军兵，出阵叫战。吕方挺手中方天画戟，纵马直取曾涂。两人战到三十多个回合，吕方渐渐不敌，郭盛拍马上来助战，三人混战一起。眼看郭、吕二人也难以敌住曾涂，花荣在阵中看见，恐怕两人吃亏，便纵马出来，急拉弓搭箭，望着曾涂射来。这时，曾涂正挺枪朝吕方脖子下搠来。花荣的箭却早先到，正中曾涂左臂，曾涂翻身落马。吕方、郭盛双戟并下，将曾涂搠死。

曾弄闻报大哭，老五曾升大怒，咬牙

竹火鹞

这是一种燃烧性火器。用竹编成篓状，外面糊上几层纸，内填火药及小卵石，一端装有干草，点燃后用抛石机投向敌军，以灼烧敌人。

"吕方、郭盛双戟并下，将曾涂搠死。"

钢叉

　　叉是一种带有叉状锋刃的兵器。一般刃部分成三个叉，刺中敌人，伤口很难愈合，具有很强的杀伤力，骑兵多用此兵器。

切齿道："备马来，我要给哥哥报仇。"曾弄与史文恭等阻拦不住，曾升上马，出阵叫战。李逵出来应战，曾升见他赤膊上阵，便叫放箭，李逵不曾穿盔甲，腿上被射了一箭，幸亏有秦明、花荣等下死力把他救回去。

　　次日，史文恭出马，又将秦明刺伤。宋江等人连输两阵，史文恭便与曾升商议来劫梁山营寨。当夜，曾家人马奔到宋江中军营中，却见是一座空寨，知道中计，转身便走。左右杀出解珍、解宝来，花荣也从后面赶上，杀过来。曾索在黑地里被解珍一钢叉搠死。混战半夜，史文恭带人马逃回曾头市。

　　曾弄见又死了一个儿子，心中大痛，无心交战，便让史文恭写信投降。史文恭也有几分怯意，随即写了书信，让人送到宋江营中。宋江接到来信，看罢大怒，扯碎书信骂道："杀我兄长，焉能罢休？只待洗荡村坊，方足我愿。"吴用劝道："兄长差矣。我等相争，皆为气耳。今他下书来讲和，岂可因一时之忿，失了大义？"随即写了回信，让来人带去。吴用信中让曾家还回两次所夺马匹及要夺马人郁保四来听候处置。

　　曾弄看过回信，随请宋江先派人质到曾头市，然后讲和。这边按吴用计议，叫时迁、李逵、樊瑞、项充、李衮五人前去做人质。史文恭怀疑有诈，但曾弄求和心切，随让曾升带郁保四到宋江营中讲和。

　　这时，却有

宋江接到曾头市送来的讲和信，看罢大怒，扯碎了书信。

探马来报说青州、凌州两路军马来攻打梁山好汉。宋江见有变故，立即叫关胜、花荣等人各领兵前去抵住。他又暗地叫过郁保四来，好言抚慰，要他假装私逃回曾头市，对史文恭说"宋江等人无心讲和，如今听说青州、凌州两路兵马到了，他等十分惊慌。我们只可乘势用计"等语，骗史文恭等来劫寨。

卢俊义一刀搠在史文恭腿上，将他搠下马来。

郁保四归顺了梁山，按宋江之意到曾头市上，将上述言语对史文恭说了。史文恭不知是计，当夜，便带曾密、曾魁及大队人马尽数来到宋江总营寨。众人见寨门不关，内无一人，知道中计，正待要走，却听曾头市里锣鼓炮响，法华寺撞起钟来。史文恭急带人往回奔走。原来吴用趁曾头市里兵马空虚，早分派三路人马各自去攻打东、西、北三寨。

曾弄听到寨中大乱，知道有变故，自缢身死。曾密、曾魁都在混战中被杀死。曾升在宋江营中做人质，后也被杀死。只有史文恭一人得千里马之力，落荒逃去。

史文恭不分南北，约行了二十余里，来到一片树林边，只听林后一阵锣响，撞出四五百军马来。当先正是卢俊义拦住去路，拿杆棒朝史文恭马腿便打。那匹马是千里龙驹，见棒打来，嗖地从棒上跳过去。史文恭勒马往回走，却撞上浪子燕青。史文恭再兜回马来，卢俊义挡住喝道："强贼，走哪里去？"一刀搠在史文恭腿上，将他搠下马来。众喽啰上前绑了，燕青牵了那匹玉狮子马，和卢俊义一起到宋江营寨而来。

寺院大钟

钟是我国的礼器和乐器。后沿用于佛门中，钟声成为修行起居的讯号，另外，寺院的佛事庆典也用钟来奏法乐。寺院大钟，又叫梵钟，挂在钟楼之上，有专人管理，早晚各敲一次，起警睡眠、警醒世人的作用。若寺院非常规敲响大钟，则表明有重大事情发生。

第三十六章

梁山泊好汉排座次

为定谁为梁山泊主，宋江和卢俊义抓阄打城，立下规定。

阄儿：抓阄时用的上面写有记号、卷起或揉成一团的纸片。一般抓阄的人各取一个，以此来决定谁该得到什么东西。

且说卢俊义活捉了史文恭，宋江军马又破了曾头市，抄掳了财宝米粮，大军重返梁山泊山寨。宋江先让人将史文恭剖腹剜心，祭奠了晁盖，然后在忠义堂上，与众弟兄商议立梁山泊主之事。

依宋江之意，要按照晁盖的遗嘱，立卢俊义为梁山寨主。但吴用等众人皆不伏，宋江一再谦让，卢俊义坚辞不受。最终吴用道："兄长为尊，卢员外为次，众皆所伏。兄长若再三推让，恐冷了众人之心。"李逵、武松、鲁智深等人也皆表示抗议。宋江见状道："你众人不必多说，我自有个道理。如今山寨钱粮缺少，梁山泊东有两个州府，一是东平府，一是东昌府，我们去到那里借粮。今写下两个阄儿，我和卢员外各拈一个去攻打，谁先打破城池，谁便做梁山泊主，如何？"吴用道："这样也好，听天命。"当下铁面孔目裴宣写了两个阄儿，也由不得卢俊义不拈。宋江拈着东平府，卢俊义拈着东昌府。众人皆无话说。

当日宋江传令，调拨人马。宋江部下：林冲、花荣、刘唐、史进、徐宁、燕顺等二十五位头领，马步军一万，水路由阮氏三兄弟接应；卢俊义部下：吴用、公孙胜、关胜、呼延灼、朱仝、雷横等也是二十五位头领，马步军一万，水路由李俊、童威、童猛接应。

分派已定，宋江与卢俊义各自出兵。且说宋江领兵去攻打东平府，东平府有个兵马都监，名唤董平，善使双枪，武艺十分了得，人称双枪将。宋江有爱才之心，用计降了董平，很快破了东平府。这时，白胜飞马来报，说东昌府久攻不下，卢俊义连输两阵。宋江又急忙带兵赶到东昌府。

东昌府有个猛将，名叫张清，善会飞石打人，百发百中，人称没羽箭。他手下有两员副将，一个是花项虎龚旺，会使飞枪；一个是中箭虎丁得孙，会使飞叉。宋江带兵赶来，张清擂鼓叫战，徐宁纵马出阵，直取张清。两人各举枪交战，斗不五个回合，张清拨马便走，徐宁在后追赶。张清左手虚提长枪，右手向锦袋里摸出石子，扭回身一石子，正中徐宁眉心，将徐宁打下马来，幸亏有吕方、郭盛急救回去。

宋江失色道："有哪位头领接着厮杀？"燕顺拍马出来，斗无几合，也被张清一石子打在护心镜上，逃回本阵。紧接着，韩滔、彭玘、宣赞、呼延灼、杨志、朱仝、雷横等轮番上阵，皆被张清石子打伤，刘唐还被他捉了去。宋江大怒，割袍发誓道："我若不拿得此人，誓不回军。"

董平见状，拍马来战张清。两人战了数合，张清又拿石子来打，却被董平用枪拨过。他又掏出第二枚石子打来，又被董平躲过了。张清心

战鼓

鼓最早是一种乐器，后成为战场上指挥作战的用具。战鼓最主要的作用就是聚集将士，鼓舞士气。一般战鼓敲响，士兵要冲锋陷阵。

张清回身一石，正中徐宁眉心，把徐宁打下马来。

石子

石头是由矿物集合而成的坚硬物质。在古代，小石子也可以成为习武之人手中的暗器，有的顶尖高手可以用石子穿透树木。以石子作暗器，需要有很强的腕力，而且出手时速度要非常快，才能给对方以强大的杀伤力。

张清领兵劫梁山粮草，用飞石打伤了带队的鲁智深。

慌，董平拿枪搠来，被他闪过，撇了枪，双手把董平连枪带胳膊一起拖住，两人搅在一起。

索超抢大斧来解救，龚旺、丁得孙出阵拦住，林冲、花荣、吕方、郭盛也一起上来助战。张清撇了董平便走，董平追时，忘了提防石子，被他一石子抹耳根擦过去了。索超又来追赶，也被张清石子打伤。这边林冲、花荣捉了龚旺、丁得孙回营。张清提了刘唐回自己本阵。

宋江收兵后，计点一下，总共被张清伤了十五员大将，虽是心忧，但更有爱张清勇猛之心。吴用看出他心思，道："兄长放心。先让受伤头领回山寨养伤，叫鲁智深、武松、孙立、黄信等人引兵水陆并进，赚出张清，便可成事。"

再说张清回城内后，忽有探子来报说城外西北上有许多粮米车子，河内又有许多粮草船，水陆并进，皆有梁山几个头领监押。张清又让小校打听清楚，确是粮草无疑，便吩咐晚上去劫梁山的米粮。

当晚，星光满天，张清领兵行不到十里，早望见一队车子，旗上写着"水浒寨忠义粮"。鲁智深穿着皂直裰，正走在当头，张清暗道："先让这秃驴脑袋吃我一石子。"此时，鲁智深也早看到他了，只装做不知，仍大踏步往前走，却忘了提防他石子。正走之间，张清在马上喝声："着！"一石子正打在鲁智深头上，顿时鲜血迸流，鲁智深往后便倒。张清军马一齐呐喊，奔上来。武松急忙挺刀救了鲁智深，弃粮而走。

张清等人抢了粮食，心中欢喜。回城后，张清又带兵去劫河中米船。他领众兵一起呐喊出城，来到河边。此时却是阴云密布，黑雾遮天，人人对面不能相见，不知是公孙胜作法。

张清中计，掉入河里，被活捉了。

张清心慌，正待要走，却是进退无路，四下里喊声乱起，不知道人马从哪里来。林冲趁着天黑，带着铁骑军兵，将张清连人带马，都赶下水去。河里李俊、张横、张顺、三阮、童威、童猛八个头领一字儿排开，此时张清纵有三头六臂，也难以挣扎得脱，早被阮氏三兄弟捉住，拿绳子绑了，押到寨中。吴用便命大小头领连夜攻打东昌府，不一时，便将城破了。

再说张清被押到宋江面前，众兄弟要报被他石子打伤之仇。宋江却亲自下堂迎接，与他赔话。鲁智深抢禅杖来打张清，宋江喝道："怎能叫你下手？"张清见宋江如此义气，下拜归降。宋江折箭为誓道："众兄弟若还要如此报仇，皇天不佑，死于刀剑之下。"至此，无人再敢言语。

皂直裰：直裰是古代士子、官绅穿的长袍便服，亦指僧道穿的大领长袍。皂直裰即指黑色的长袍。

张清又向宋江举荐了东昌府的一个兽医黄甫端，此人精通相马，善治牲畜之病。宋江大喜，请黄甫端上山，专工医兽。又放了龚旺、丁得孙，二人也归降梁山。

梁山又添了许多新的人马，宋江心中欢喜，忙叫摆宴庆贺。忠义堂上，众头领依次而坐，一共是一百零八人。宋江与吴用等人商议，在忠义堂正厅上供奉晁盖灵位。东、西两房由宋江、卢俊义各自为首居住，其余各寨都按原先分定的把守，新到头领，都按各自所长，分

塞门刀车

这是一种木制的两轮车，上面插有尖刀，与城门等宽，是用来守城的有力武器。

梁山泊齐集了一百零八位头领，宋江大摆筵席，颁布号令。

《耕织图》之晒粮图

粮食是百姓生存的根本，而在行军打仗中，粮草也非常重要，常有"兵马未动，粮草先行"的说法。古代战争中，常发生互劫粮草的事情，劫粮一为充足己方粮草，二为断绝对方粮草，以赢得战争的胜利。

派到各处掌管相应职责。

宋江还命在山顶上立一面杏黄大旗，上书"替天行道"四个大字。忠义堂前挂两面红旗：一书"山东呼保义"，一书"河北玉麒麟"。外设飞龙飞虎、飞熊飞豹、青龙白虎、朱雀玄武等旗。金大坚铸造兵符印信。

一切准备完备，选定个良时吉日，宋江大设宴席，亲捧兵符印信，颁布号令道："诸多兄弟，各自管领各个领域，不得违误。如有故意违犯者，军法处置，绝不宽恕。"然后公布大小头领各自座次与所辖职务：

梁山泊总兵都头领二员：宋江、卢俊义。

掌管机密军师二员：吴用、公孙胜。

掌管钱粮头领二员：柴进、李应。

马军五虎将五员：关胜、林冲、秦明、呼延灼、董平。

马军八虎骑兼先锋使八员：

花荣、徐宁、杨志、索超、张清、朱仝、史进、穆弘。

马军小彪将兼远探出哨头领一十六员：

黄信、孙立、宣赞、郝思文、韩滔、彭玘、单廷珪、魏定国、欧鹏、邓飞、燕顺、马麟、陈达、杨春、杨林、周通。

步军头领十员：

鲁智深、武松、刘唐、雷横、李逵、燕青、杨雄、石秀、解珍、解宝。

步军将校一十七员：

樊瑞、鲍旭、项充、李衮、薛永、施恩、穆春、李忠、郑天寿、宋万、杜迁、邹渊、邹润、龚旺、丁得孙、焦挺、石勇。

四寨水军头领八员：

李俊、张横、张顺、阮小二、阮小五、阮小七、童威、童猛。

四店打听声息，邀接来宾头领八员：

东山酒店：孙新、顾大嫂。

西山酒店：张青、孙二娘。

南山酒店：朱贵、杜兴。

北山酒店：李立、王定六。

总探声息头领一员：戴宗。

军中走报机密步军头领四员：乐和、时迁、段景住、白胜。

守护中军马军骁将二员：吕方、郭盛。

其余好汉也各有职守，梁山泊忠义堂上，一切号令已定。宋江又选个良辰吉日，大设宴席，带领众兄弟歃血为盟，但愿共存忠义之心，替天行道。当日，众人尽醉方散，这便是梁山泊之大聚义。

青龙白虎、朱雀玄武：青龙、白虎、朱雀、玄武是中国传统中的星宿名字，象征着四极，被誉为"四方之神"。青龙其身似长蛇、麒麟首、鲤鱼尾、面有长须、犄角似鹿、有五爪、相貌威武；白虎其形体似虎，白色，凶猛无比；朱雀形似凤凰；玄武则为龟蛇之像。古人常把它们的形象画在旗子上，称为青龙旗、白虎旗、朱雀旗和玄武旗，用以代表方位或象征尊贵。

梁山泊好汉上下同心，一起替天行道，成就一段佳话。

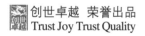
创世卓越 荣誉出品
Trust Joy Trust Quality

图书在版编目（CIP）数据

水浒传／（明）施耐庵著；创世卓越改编.—北京：北京十月文艺出版社，2007.1
（一生必读的中国十大名著：青少年版／纪江红主编）
ISBN 978-7-5302-0648-5

Ⅰ.水…Ⅱ.①施…②创…Ⅲ.章回小说—中国—明代—缩写本 Ⅳ.I242.4

中国版本图书馆 CIP 数据核字（2007）第 006607 号

SHUIHU ZHUAN

（明）施耐庵 著 创世卓越 改编

总策划	邢 涛	出 版	北京出版集团公司	
主 编	纪江红		北京十月文艺出版社	
执行主编	龚 勋	总发行	北京出版集团公司	
编 审	贾宝花	地 址	北京北三环中路6号	
改 写	杨玉萍	邮 编	100120	
责任编辑	闫宝华	网 址	www.bph.com.cn	
装帧设计	王洪文	经 销	新华书店	
美术统筹	赵东方	印 刷	北京美通印刷有限公司	
版面设计	郝 珊	开 本	787×1092 1/16	
插图绘制	常战波 贾 雪	印 张	14	
责任印制	吴凤兰 于春卉	版印次	2011年12月第1版第21次印刷	
质量监督电话 010-58572393		书 号	ISBN 978-7-5302-0648-5/I·633	
		定 价	17.80元	